Un minuto más tarde caminaba por un sendero en la montaña, apartando con facilidad las ramas de los árboles dobladas por el viento. Supe, como se saben las cosas en los sueños, que estaba en Montana, viviendo una aventura.

Sentí un murmullo de hojas a mi espalda. Me volteé justo a tiempo para ver algo que se escurría por el suelo. Avancé varios pasos. Unos ojos amarillos brillaron detrás de los arbustos.

De repente, sentí mucho miedo. Eché a correr; y mientras corría, escuchaba un sonido a mis espaldas, pero no quería mirar hacia atrás.

El camino terminaba abruptamente en un acantilado. Me quedé en el borde, apenas vislumbrando las rocas y el agua en el fondo. Me di la vuelta. Tenía que ver qué me perseguía.

No había nada.

Y entonces, me caí.

Aullidos a medianoche

Clare Hutton

SCHOLASTIC INC.

New York Toronto London Auckland
Sydney Mexico City New Delhi Hong Kong

A James y Fiona, que a veces son
como animales salvajes

Originally published in English as *Poison Apple: Midnight Howl*
Translated by Nuria Molinero

ISBN 978-0-545-34120-2

12 11 10 9 8 7 6 5 4 3 2 1 11 12 13 14 15 16/0

Printed in the U.S.A. 40
First Spanish printing, September 2011

CAPÍTULO UNO

—Te vas a morir —dijo Tasha, mi mejor amiga, con los ojos muy abiertos y llenos de espanto.

—No seas ridícula —respondí, y me eché a reír.

—Allá estarás perdida —dijo con un gesto de burla—, y yo aquí no sobreviviré sin ti.

Estábamos bajo un enorme roble en el patio de la escuela comiéndonos unos sándwiches que habíamos comprado en la cafetería de la esquina. El cielo era azul, el sol cálido y una agradable brisa alborotaba mis rizos castaños. Era un día de septiembre perfecto.

Hacía dos semanas que habíamos vuelto a la escuela, y parecía que Tasha y yo no habíamos hecho más que hablar del mismo tema desde entonces: los tres meses que pasaría fuera de nuestra ciudad, Austin, Texas.

—¡Te encanta Austin! —insistió, pasándose su cabello negro por detrás de las orejas mientras me miraba con tristeza—. ¡Y séptimo grado ya comenzó! ¡Tenemos que estudiar juntas y planear el baile de Halloween!

Arrugó la bolsa de papas fritas vacía y me miró. Le temblaban los labios.

—Marisol, no puedes marcharte. No podrás ser feliz en medio de la nada.

Tasha es muy, muy dramática. Una vez, el año pasado, me llamó por teléfono llorando y casi sin poder hablar. Pensé que estaba enferma o que algo le había pasado a su familia, así que agarré la bici y corrí a su casa. Resultó que no le había gustado su nuevo corte de cabello. ¡Y ni siquiera era tan horrible!

Como Tasha es tan dramática, no quise mostrar mi nerviosismo: yo soy la sensata de las dos, así que no pensaba admitir que también dudaba si era buena idea irme de mi ciudad natal. Y es verdad que me encanta Austin. Es la mejor ciudad del mundo. Puedes caminar o ir en bici a casi todas partes. Es lindísima y hay estupendos restaurantes, cafés modernos, lugares para visitar y muy buena música.

Pero tampoco me marchaba para siempre. Me iría al día siguiente y volvería en tres meses. Ignoré la inquietud y los nervios que sentía en el estómago cada vez que me daba cuenta de que me iba de mi hogar, y di un mordisco a mi sándwich.

Me puse a pensar en cómo había surgido este inesperado viaje.

Cuando mi mamá y yo supimos que todos los que vivíamos en nuestro edificio debíamos mudarnos por unos meses (había que reparar la instalación eléctrica de todo el edificio o podría haber un incendio), pensé que alquilaríamos otro apartamento en Austin.

Pero entonces mamá me dijo que teníamos que hablar, y supe que se trataba de algo importante.

—Marisol, creo que deberíamos irnos a Montana a vivir con Molly mientras arreglan la electricidad —dijo atropelladamente.

Molly había sido compañera de apartamento de mi mamá en algún momento. Yo no la conocía, pero mi mamá y ella iban a Nueva York cada dos años a pasar un fin de semana y Molly siempre enviaba postales de Navidad, así que sabía quién era. De todas maneras, no era la mejor solución para nuestro problema.

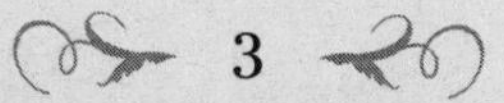

Cuando mamá explicó un poco más su idea, empezó a tener sentido. Molly y su familia eran dueños de un hostal. También tenían caballos (¡podría aprender a montar!) en un pequeño pueblo llamado Valle del Lobo, cerca del Parque Nacional de los Glaciares. La temporada alta es en verano, así que durante el otoño y el invierno tienen sitio de sobra. Molly llevaba mucho tiempo pidiéndole a mamá que fuera a visitarla, y como mamá edita una revista en internet y puede trabajar desde cualquier sitio, esto también encajaba.

—¡Es una buena oportunidad para ver cómo se vive en otro lugar! —dijo mamá muy entusiasmada—. ¿Cuándo volveremos a tener una oportunidad así? Muy pronto estarás en noveno y no podrás cambiar de escuela con tanta facilidad. Y luego irás a la universidad. ¡Este el momento! —Miró hacia abajo y añadió, como si fuera algo sin importancia—: Y si nos gusta, ¡podríamos quedarnos todo el curso escolar! Tendríamos que ayudarlos en el hostal durante la primavera, pero realmente no tienen muchos huéspedes hasta el verano.

—Mamá —dije con impaciencia—, quizás sea una gran aventura, pero creo que estaré lista para regresar a casa después de pasar tres meses viviendo con extraños.

Mis padres se divorciaron cuando yo tenía ocho años y mi papá vive en Miami, así que a él no lo afectaría mucho. Yo paso parte de las vacaciones de Navidad y del verano con él, y aunque se tarde más en avión de Montana a Miami que de Austin, sigue siendo un viaje en avión.

Soy menos aventurera que mi mamá, pero aun así, pasar unos meses en Montana sonaba chévere. Siempre he vivido en Austin, excepto las temporadas que he pasado en Miami y algunas vacaciones. ¡En Montana podría probar una vida completamente diferente! ¡Superchévere! Así que controlé mis nervios y me dije a mí misma que mamá tenía razón. Sería una gran experiencia.

Pero, sentada en el patio, mirando el semblante triste de mi mejor amiga, supe que ella no podría ni siquiera fingir que se alegraba por mí. También supe que admitir el más mínimo nerviosismo haría que Tasha empezara a quejarse de nuevo, lo que aumentaría mi ansiedad. Di un último bocado a mi sándwich y le acaricié el brazo para tranquilizarla.

—Tasha, serán solamente unos meses. Volveré antes de Navidad.

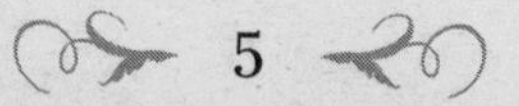

Tasha gimió y se acostó en la hierba, con los ojos cerrados.

—Me temo que este es el fin, Marisol. Después de pasar tres meses en medio de Montana, estarás muerta del aburrimiento. ¿Qué harás allá?

—Estaré bien. Montana será genial —dije, y me acosté a su lado—. Saldré a caminar, haré ciclismo y excursiones. Seguro que habrá montones de animales y, ¿te imaginas cómo será el cielo por las noches? Estaremos en el campo y las estrellas se verán increíbles sin las luces de la ciudad. ¡Podré ver cosas que jamás vi antes!

En Austin hay muchos lugares donde pasear (hay un parque estupendo al que puedo ir caminando desde mi casa), pero no es el campo abierto. Y me encanta la astronomía, así que estaba muy emocionada pensando que podría usar el telescopio que mi papá me regaló la Navidad pasada.

Tasha me miró indiferente. Ella prefiere el teatro y el baile y apenas soporta salir al aire libre. Dar caminatas y mirar las estrellas no le resulta muy divertido.

—Quizás en la escuela no te den permiso —dijo esperanzada.

—No, ya dieron su aprobación —dije.

Tasha y yo vamos a una escuela secundaria en Austin que tiene un estilo alternativo. Para los profesores es importante que todo el mundo siga sus sueños (siempre que se cumplan los requisitos del estado, por supuesto).

—Lo considerarán un trimestre en el extranjero.

—Te extrañaré —dijo Tasha suspirando.

Sabía que eso era lo que me había estado queriendo decir todo el tiempo, pero era agradable oírlo y la abracé.

—Yo también te extrañaré, Tasha —dije—. Pero no pasará nada. Hablaremos por teléfono, nos escribiremos por internet y nos enviaremos mensajes de texto. Piensa que estoy de vacaciones, aunque un poco largas.

Esa noche me acosté con las maletas hechas mirando las estrellas fluorescentes del techo. Pensé que debía considerar todo el asunto como si se tratara de unas vacaciones. Pero mientras escuchaba desde la cama las pisadas y las risas de los que caminaban por la calle junto a mi edificio, sentí un escalofrío de ansiedad. Ahora que estaba sola, tenía que admitir que me sentía un *poquito* nerviosa. ¿Quién no lo estaría? Es verdad que ir hacia lo desconocido puede ser una gran aventura, pero también da miedo. Poco a poco me quedé dormida, aunque inquieta y con un nudo en el estómago.

Un minuto más tarde estaba fuera de casa. El aire era fresco y puro. Caminaba por un sendero en la montaña, apartando con facilidad las ramas dobladas por el viento. Las hojas secas crujían bajo mis pies. Anochecía y el cielo se volvía más oscuro a cada momento, pero no temía perderme. Supe, como se saben las cosas en los sueños, que estaba en Montana, viviendo una aventura. Mi corazón latía rápidamente de emoción, no de miedo.

Llegué a un claro del bosque y miré al cielo. La Cruz del Norte, el Águila y la Osa Mayor, todas las constelaciones conocidas brillaban sobre mi cabeza. Parecían tan cerca que pensé que podía tocarlas con solo extender la mano. Por encima de las copas de los árboles brillaba una enorme luna llena que emitía un resplandor amarillo.

Sentí un murmullo de hojas a mi espalda. Me volteé justo a tiempo para ver algo que se escurría por el suelo. ¿Sería un gato?

Avancé varios pasos. Unos ojos amarillos brillaron detrás de los arbustos. ¿Un coyote? Me agaché para mirar. Lo que hubiera allí gimió débilmente.

La brisa se convirtió en viento. Por encima del viento, escuché de nuevo la voz de Tasha. Se oía lejana pero clara, y su tono era más solemne: "Te morirás".

De repente, sentí mucho miedo.

Eché a correr y, mientras corría, escuchaba un sonido a mis espaldas, pero no quería mirar hacia atrás.

El camino terminaba abruptamente en un acantilado. Me quedé tambaleándome en el borde, apenas vislumbrando las rocas y el agua en el fondo. Me di la vuelta. Tenía que ver qué me perseguía.

No había nada. Y entonces, me caí.

Me desperté sudando, con el corazón latiendo a toda velocidad. El reloj decía que eran las 2:17 de la mañana. Pensé enviarle un mensaje de texto a Tasha (ella estaría dormida, pero escribir el mensaje me relajaría) o despertar a mamá. En lugar de eso, salté de la cama y me asomé por la ventana.

La calle estaba desierta. Nadie caminaba cerca del edificio. Todo estaba vacío, aunque de vez en cuando pasaba un auto, haciendo chirriar los neumáticos sobre el asfalto. Las farolas estaban encendidas y la ciudad iluminada y tranquila me ayudó a relajarme. Poco a poco, mi respiración se calmó.

—Lo pasaré bien en Montana —me dije a mí misma, aunque no estaba tan segura.

CAPÍTULO DOS

Lo primero que me llamó la atención de Montana fue el frío. Mamá y yo salimos del Aeropuerto Internacional del Parque Nacional de los Glaciares y, de repente, los jeans y la camiseta morada que habían sido perfectos para el otoño en Austin no abrigaban lo suficiente.

Me sentía agotada. Como no se puede volar directamente de Texas al aeropuerto del Parque Nacional de los Glaciares, tardamos bastante en llegar.

Afuera el cielo estaba despejado y era de un azul brillante. No muy lejos de allí se veían las montañas con sus cumbres nevadas.

—¡Vaya! —dije, asombrada por la vista—. ¡Mira, mamá!

Pero ella no miraba el paisaje. Sonreía de oreja a oreja y saludaba con entusiasmo a una rubia de pelo largo y rizado que tenía muchas pecas. La mujer bajaba de una camioneta roja y nos saludaba con más entusiasmo todavía.

—¡Molly! —gritó mamá—. ¡Molly!

—Mamá —susurré avergonzada—. ¡Está al lado, no tienes que gritar!

—¡Ana! —gritó la mujer, y las dos se fundieron en un fuerte abrazo.

Cuando se separaron, Molly me agarró y me abrazó con fuerza. Olía a jabón y un poquito a caballo.

—¡Marisol! —exclamó—. No puedo creer que por fin te conozca. ¡Estás tan grande! —Me soltó y se volteó hacia mi madre—. Ana, es idéntica a ti cuando nos conocimos.

Comenzaron de nuevo a hablar de sus recuerdos. Entonces me di cuenta de que una niña de mi edad bajaba de la camioneta. Mientras que su mamá había saltado del auto con cara de felicidad, esta niña se acercaba tímidamente y no sonreía. También tenía el pelo rubio largo y rizado y muchas pecas, pero sus ojos azul claro me miraban con desconfianza.

—Hola —dije, acercándome—. Soy Marisol. ¿Eres la hija de Molly?

—Hailey —murmuró encogiendo los hombros y mirando al suelo.

Perfecto. ¿Ya me odiaba o era simplemente tímida?

Lo intenté de nuevo y sonreí.

—No puedo creer que mamá no me dijera que tienes mi misma edad —dije—. Solo me habló de "Molly y su familia". ¿No crees que podía haberme dicho algo?

Hailey apenas sonrió y luego desvió la mirada.

—Lo siento, Molly —dijo mamá sonrojada—, la verdad es que perdí la cuenta de la edad de tus mellizos. Pensaba que eran más chicos que Marisol, pero deben tener la misma edad.

—Hailey y Jack tienen doce años —dijo Molly sin parecer ofendida.

"Un momento. ¿Mellizos? ¿Jack?", pensé.

Mamá también había olvidado decirme que pasaría los próximos tres meses viviendo con un chico.

Para muchas chicas eso no tendría mucha importancia, pero ese no es mi caso.

Muchas chicas tienen hermanos o amigos a los que conocen muy, muy bien, y con los que pasan mucho tiempo.

¿Pero yo? Yo soy una chica que vive con su mamá y que tiene amigas íntimas. No tengo primos y ningún amigo varón. La última amistad de verdad que tuve con un chico terminó cuando Toby Collington se robó mi lápiz brillante en segundo grado y no quiso devolvérmelo. Por supuesto que conocía a algunos chicos, de la escuela y de otras partes, pero no muy cercanos. Y desde luego ninguno vivía en mi casa.

De pronto me vino a la mente lo embarazoso que sería compartir el baño con un chico. Y empecé a sentir pánico. Lo primero que pensé fue: no podré desayunar en pijama y tendré que cepillarme el pelo antes de salir del cuarto por las mañanas.

Debía tener una expresión rara en la cara porque Molly me miró preocupada.

—Marisol, ¿estás bien, tienes hambre?

Sonreí, porque eso me daba una excusa para dejar de pensar en chicos.

—¡La verdad es que sí!

—Bueno, entonces lo mejor será que nos vayamos —dijo alegremente y echó a andar.

* * *

Entré de forma un poco ridícula al auto. El asiento de atrás de la camioneta estaba tan alto que me costó trabajo subirme.

—¡Ayayayyy! —exclamé, riéndome—. No tengo mucha práctica subiéndome a camionetas. En Texas tenemos un auto más pequeño.

Hailey se encogió de hombros y miró por la ventanilla.

"Umm. Definitivamente no es muy amigable", pensé.

—Tardaremos aproximadamente una hora y media en llegar a casa —dijo Molly—. Si estás muerta de hambre podemos parar en un restaurante de comida rápida antes de salir del pueblo.

Miré por la ventanilla. Había una vista increíble pero casi nada más, apenas unas casas y unas cuantas tiendas con un McDonald's.

—¿Dónde está el pueblo? —pregunté.

Hailey se quedó mirándome, pero no dijo nada.

—¡Este es el pueblo! —dijo Molly riéndose y señalando hacia afuera—. No parece gran cosa, pero acá es donde venimos de compras. Donde vivimos nosotros es un verdadero campo.

—Ya —dije con nerviosismo —. Es... genial, pero no puedo comer en un McDonald's. Soy vegetariana.

—¡Qué coincidencia! —dijo Molly con entusiasmo—. ¡Hailey también! Puedes comer lo mismo que ella come.

Hailey habló por primera vez desde que subimos a la camioneta.

—Es difícil encontrar algo para comer en el pueblo. Soy vegetariana, ni siquiera como queso. En la mayoría de los sitios solo puedo comer una ensalada o papas fritas.

—¿Y comida china? —pregunté—. ¿India? ¿Sushi vegetariano? ¿Tex-Mex?

Hailey negó con la cabeza.

—Ya veo —dije débilmente. Si lo único que tendría para comer en los siguientes tres meses serían ensaladas y papas fritas, Tasha tenía razón y moriría... de hambre.

—Quizás aquí pasemos hambre, pero algún día vendrás a Austin y comeremos comida de verdad —le susurré a Hailey—. Austin tiene la mejor comida mexicana del planeta, bueno, la mejor fuera de México.

Me miró sobresaltada y se sonrojó antes de voltearse de nuevo. Suspiré y apoyé la cabeza sobre la ventanilla. Al parecer, no comer carne no había sido suficiente para romper el hielo.

Esto iba a ser interesante, asistir a la escuela con una chica que apenas me hablaba, vivir bajo el mismo techo con un chico y comer lechuga y papas fritas. Apenas salíamos del aeropuerto y ya sentía que mi estadía en Montana sería una maldición.

CAPÍTULO TRES

Debo admitir que el hostal era lindísimo. Tenía una gran cabaña de troncos y otras más pequeñas repartidas por el bosque.

"Como si las cabañitas fueran los bebés de la cabaña grande", pensé.

—Esas son las cabañas para los huéspedes —le dijo Molly a mi mamá, señalándolas con la mano—. Les dejaría una a ti y a Marisol, pero en invierno son muy frías y, además, hay espacio de sobra en la casa.

Junto a la cabaña grande había un prado con un establo y un picadero para equitación. La brisa trajo un leve olor a caballo. Un inmenso bosque verde se levantaba entre el rancho y la enorme montaña del fondo. El cielo estaba despejado y azul.

Respiré hondo el aire campestre (con olor a caballo) y decidí que, a pesar de todo, lo pasaría bien. Sonreí y me dirigí a la casa siguiendo a Molly y a mi mamá. Hailey ya había entrado en la casa.

Cuando me faltaban apenas unos pasos para llegar a la puerta principal, me detuve. Molly y mi mamá entraron a la gran cabaña y me quedé sola. Todo estaba extremadamente silencioso. A lo lejos escuché un caballo resoplar.

Me volteé lentamente. La brisa hacía crujir las hojas y todo estaba muy tranquilo. Pero sentía algo extraño, como si alguien me estuviera observando. Me quedé muy quieta.

"Me lo estoy imaginando —pensé—. Estoy cansada y el sueño de anoche me está poniendo nerviosa".

Una ramita crujió detrás del arbusto que había junto al sendero y eché a correr hacia la casa con el corazón latiéndome a toda velocidad.

Abrí la puerta y entré en una cálida y acogedora cocina donde olía a comida. Al entrar, tuve que reírme de mí misma. Un chico que cortaba verduras me devolvió la sonrisa.

—¡Hola! ¿Cómo estás? —dijo—. Soy Jack.

Jack era bastante lindo. Tenía el cabello rubio muy corto, ojos azul claro y muchas pecas. Era evidentemente el hermano de Hailey, pero su amistosa sonrisa le daba un aspecto completamente diferente al de ella.

—Hola —respondí con timidez—. Me gusta tu casa.

Realmente era una casa típica del Oeste: paredes de troncos, fotografías de caballos, sofás y sillones con grandes cojines ideales para acurrucarse frente al chispeante fuego de la chimenea después de un largo día montando a caballo.

Su papá se acercó, le dio la mano a mi mamá y me sonrió.

—Yo soy Mike —dijo—. Es un gusto que hayan venido. Molly está muy emocionada.

Era un hombre alto de rostro dulce, y entonces pensé que esta familia era realmente amigable, excepto Hailey.

—¿Puedo ayudar? —le pregunté a Jack, que parecía estar cocinando solo.

—Claro —respondió—. ¿Prefieres mezclar la masa del pan, marinar los filetes o terminar la ensalada?

—Eh... —dudé. La idea de marinar carne cruda me daba asco—. Mezclaré la masa del pan.

—¡Muy bien! —me pasó un tazón—. Ponle un huevo, una taza de mantequilla y un cuarto de taza de aceite vegetal. Luego añadiremos la harina.

—Vaya —dije mientras dejaba el tazón sobre el mostrador de la cocina y sacaba un huevo—, tú sí sabes cocinar.

Tenía la idea de que los chicos pensaban que cocinar no era de hombres, pero como ya dije, en realidad no conocía a muchos chicos.

—Sí —dijo Jack—, quiero ser cocinero.

Estaba adobando la carne cruda con un aceite que tenía unas hojas secas flotando, y tuve que desviar la atención. ¡Puag! Me concentré en batir.

—En la escuela estoy en la clase de cocina, deberías apuntarte. Hacemos recetas, vamos a restaurantes y al final del semestre organizamos una fiesta.

—No sé —dije—. Se me da mejor comer que cocinar.

—Marisol es vegetariana, como tu hermana —dijo Molly—, así que prepara más ensalada que de costumbre.

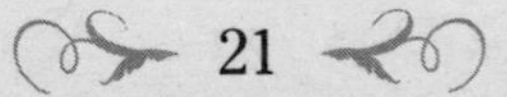

—Claro —dijo Jack—. Estoy haciendo pinchos de verduras a la parrilla para Hailey, y puedo hacer más para ti. Y habrá ensalada, pan y calabacines al vapor.

—¡Perfecto! —dije alegremente. Al parecer, no me moriría de hambre durante los siguientes tres meses—. ¡Gracias!

Jack le pasó los pinchos de verduras y los filetes a su papá para que los pusiera en la parrilla. Terminó de mezclar la harina del pan y metió la masa en el horno. Había ensalada en una fuente y los calabacines se cocían al fuego. Molly y mi mamá conversaban sentadas a la mesa de la cocina.

Yo estaba sentada en una banqueta alta, junto al mostrador de la cocina. Jack agarró otra y se sentó a mi lado.

—Bueno —dijo, balanceando la rodilla—, si no te gusta cocinar, ¿qué te gusta hacer? Hay montones de cosas que puedes hacer en la escuela. El club de arte y el equipo de fútbol femenino son excelentes.

—El fútbol no me gusta —dije—. Bueno en realidad no hago ningún deporte de equipo. Pero hay muchas cosas que me gustan: caminar por las montañas, el ciclismo, los animales y estar al aire libre. Y me interesan las ciencias, especialmente la astronomía.

Me sentí un poco tonta diciendo eso, pero Jack se mostró muy interesado.

—¡Astronomía! Hay un club de astronomía en la escuela. Hacen excursiones al campo para observar las estrellas. La excursión de otoño es muy importante, incluso para los que no están en el club. Va casi todo el mundo.

—¿De veras? —exclamé.

En mi escuela había un club de ciencias y a veces hablábamos de astronomía. Hicimos una excursión al planetario de la ciudad, pero no había suficientes niños interesados en el cosmos para formar un club.

—Claro —dijo Jack—. Por aquí hay sitios geniales para observar las estrellas. Puedes ir al Parque Nacional de los Glaciares y llevar un telescopio, aunque con tan solo salir de casa puedes ver un montón.

—¡Esto va a ser alucinante! —dije.

—¿Cómo te empezó a gustar la astronomía? ¿Se debe a que te gustan las ciencias o a estar al aire libre?

—Creo que por las dos cosas —dije—. Mi papá compró un telescopio para los dos cuando yo tenía seis años y salíamos muy a menudo. Él me enseñó las constelaciones.

—¡Qué bueno! —dijo Jack.

—Sí —dije sonriendo, y recordé las veces que salí con mi papá a observar las estrellas—. Todos los años, en verano, hay una lluvia de meteoros, las perseidas, y mi papá solía despertarme por la noche para verla. Salíamos al tejado de la casa con un termo de chocolate caliente. Ahora él vive en Miami, pero lo seguimos haciendo. Procuramos que yo viaje para allá en esa época.

—Suena divertido —dijo Jack.

—Sí —dije. Extrañaba a mi papá desde que se mudó a Miami. Estaba muy bien visitarlo cuando tenía vacaciones, pero no era lo mismo que verlo todos los días.

Nuestra conversación se detuvo y Jack empezó a mirar a su alrededor y a balancear la pierna de nuevo.

—¿Sabes montar a caballo? —preguntó de repente.

—En realidad, no —dije casi disculpándome—. Solo monté un par de veces en el poni de una amiga cuando tenía ocho años. Pero siempre quise aprender.

—Te encantaría —dijo—. A mí me gusta mucho. Cuando tenemos huéspedes los llevo de excursión, así que si quieres te puedo llevar. Si te gustan los animales y pasear al aire libre, aprenderás muy rápido. Nuestros caballos son muy tranquilos.

—No me parece una buena idea que Marisol monte a caballo sin un adulto presente —interrumpió mi mamá. Ni siquiera me había dado cuenta de que ella y Molly estaban escuchando nuestra conversación—. Quizás podamos ir todos juntos.

—Jack es un gran profesor —dijo Molly sin darle mucha importancia—. Estará bien.

Mamá frunció los labios, pero no dijo nada. Solo me miró como diciendo, "Ya lo discutiremos más tarde", pero fingí no darme cuenta. Si era verdad que Jack llevaba de paseo a los turistas a caballo, mamá no tenía por qué preocuparse de nada.

El reloj sonó, avisando que los panes estaban listos, y enseguida entró Mike con una bandeja.

—Los filetes y las verduras ya están —dijo—. Marisol, ¿puedes decirle a Hailey que baje a cenar?

Miré a mi alrededor. Mamá estaba sentada a la mesa mientras Molly servía agua y leche.

—Hailey está muy callada últimamente —le dijo Molly a mi mamá—. Está muy retraída, supongo que son cosas de la adolescencia, ¿no? Ya se le pasará.

Jack estaba sacando los panes, pero me miró.

—Es chistoso cómo nuestros padres culpan a la adolescencia de todo lo que no les gusta —dijo—. El cuarto de Hailey está arriba. Es el que tiene una aldaba con forma de cabeza de lobo en la puerta.

—Gracias —dije, y me dirigí al piso de arriba.

El pasillo estaba oscuro, pero un resplandor de luz asomaba por las rendijas de la puerta de Hailey. Dudé un momento y luego toqué.

No se oía nada. ¿Estaría allí? ¿Debería tocar otra vez? Me sentiría como una estúpida si me quedaba esperando en el pasillo y ella estaba adentro con los audífonos puestos, o si había ido al baño o algo. Esperé un rato y finalmente levanté la mano para volver a tocar.

De repente, la puerta se abrió de golpe.

—¿Qué pasa? —dijo Hailey.

Miré su cuarto y me quedé boquiabierta. No se sabía de qué color eran las paredes porque por todas partes, desde el piso hasta el techo, había fotografías de animales sacadas del internet y recortadas de revistas y carteles. Había crías de león tumbadas plácidamente, un zorrillo colgado de la rama de un árbol, caballos que galopaban sobre dunas, en fin, decenas de animales diferentes que

jugaban, cazaban, comían o descansaban al sol. El cartel más grande de todos era una imagen de una hilera de lobos bajando por la cresta de una colina, todos con ojos color ámbar. Era como si la puerta del cuarto de Hailey diera al exterior.

—¿Qué miras? —preguntó Hailey de nuevo—. Por favor, mi cuarto es privado.

Salió al pasillo y tiró la puerta.

Me di cuenta de que me había quedado mirando fijamente su cuarto, algo muy poco cortés.

—Ay, lo siento... pero es que parece un zoológico.

—Me encantan los animales —dijo Hailey en voz baja—. Pero no me gustan los zoológicos. Los animales deben ser libres.

—Sí, entiendo lo que dices —dije, y sentí que no había más nada que opinar—. Bueno, la cena está lista.

Me siguió por el pasillo hacia la cocina. Caminaba tan silenciosamente que casi tuve que voltearme para asegurarme de que estaba detrás de mí. Quería decirle algo, pero tenía un carácter tan fuerte que me hacía sentir un poco incómoda.

Me senté a la mesa muerta de hambre y Jack puso un plato delante de mí.

—Esto parece riquísimo —dije, comenzando a comer. Las verduras del pincho estaban perfectas, jugosas y calentitas, con sabor a distintas especias.

—¡El filete está exquisito, Mike y Jack! —dijo mi mamá desde el otro extremo de la mesa—. Absolutamente delicioso.

—Los panes no salieron muy bien —dijo Jack mirando el molde—. Se quemaron un poco.

Parecía apenado, así que agarré uno.

—Seguro que con un poco de mantequilla estará perfecto —dije alegremente. Le unté mantequilla y le di un buen mordisco. No estaba tan mal—. Las partes que no se quemaron están deliciosas.

Jack se echó a reír.

Más tarde, Hailey me acompañó a mi habitación, que estaba al lado de la suya.

—La cena estuvo deliciosa. Jack es un excelente cocinero.

—Sí, claro —dijo ella.

—Supongo que no me moriré de hambre —bromeé—. Quizás consiga que Jack aprenda a hacer sushi vegetariano.

Hailey hizo un sonido extraño, se dio la vuelta y entró en su habitación.

Me quedé mirándola. ¿Acaso me había *gruñido*?

CAPÍTULO CUATRO

A la mañana siguiente me desperté temprano, pero me quedé en la cama intentando tranquilizarme. Respiré profundo y dejé soltar el aire lentamente, mirando al techo. Era mi primer día en la escuela del Valle del Lobo y estaba muerta de miedo. ¿Y si todos me odiaban?

"Serán solo tres meses", me dije a mí misma.

Ahora tres meses sonaban a mucho más tiempo que cuando acepté venir.

"Al menos está Jack", pensé, y esto me ayudó a levantarme. Tener ya un amigo era un salvavidas. De no ser por él, habría intentado convencer a mamá de que me dejara todo el día en la cama.

Era chistoso cómo en una noche había pasado de sentir pánico por tener que vivir en una casa con un

chico a estar feliz de que fuera mi amigo. Jack era simpático, natural y gracioso, y era fácil estar con él. Además era guapo, pero aparté ese pensamiento de mi mente. Podría complicar las cosas.

Me di ánimos a mí misma: ¡Yo soy Marisol Pérez y no le temo a nada!

O a casi nada.

Salté de la cama rumbo a la ducha. Tenía un baño solo para mí, lo que era una gran ventaja después de compartir uno toda la vida con mi mamá. Uno de los grandes beneficios de quedarse en un hostal en temporada baja es que hay montones de habitaciones para elegir y todas tienen baño. La mía era como la de un hotel elegante; tenía una gran colcha, papel de pared con flores, lámparas a juego a los dos lados de la cama doble y un pequeño escritorio con folletos y libros sobre la región: *Los pájaros del oeste de Montana, Caminando entre los Glaciares* y *Los lobos del Valle del Lobo.* La decoración no era, desde luego, la que yo habría escogido, pero era una habitación muy cómoda y para mí sola.

Media hora más tarde estaba bañada, mi cabello lucía lindo, llevaba brillo de labios (el único maquillaje que mi mamá me dejaba usar) y vestía mis jeans y un suéter azul. Estaba lista. Intenté enviarle a Tasha un mensaje de texto para que me deseara buena suerte, pero mi teléfono no tenía señal.

Cuando llegué a la cocina, Jack y Hailey estaban sentados a la mesa comiendo cereal mientras mi mamá y Molly tomaban café. Me senté y sonreí con inseguridad.

—Es raro empezar la escuela casi un mes más tarde, ¿verdad? —pregunté nerviosamente.

—No te preocupes —dijo Jack masticando su cereal—. A estas alturas todo el mundo está aburrido de ver a la misma gente. Estarán encantados de conocer a alguien nuevo. Serás una celebridad.

Hailey llevaba el cabello recogido en una trenza, lo que la hacía parecer más amigable que el día anterior. Para mi sorpresa, me sonrió.

—Verás que todo va bien —dijo en voz baja.

"Quizás solo sea tímida", pensé, y le devolví la sonrisa.

—Sí —dije—. Además, ¿qué me importa lo que la gente de aquí piense de mí? Al fin y al cabo serán solo tres meses.

La sonrisa de Hailey se desvaneció.

—Tenemos que agarrar el autobús —dijo con tono neutro mientras se levantaba. Fue hasta donde estaba su mamá y le dio un beso de despedida.

—¿Qué dije? —le susurré a Jack mientras él la seguía a la puerta.

—No le hagas caso —dijo—. Hailey tiene un carácter raro. Le gustan más los animales que las personas.

Mientras esperábamos el autobús al final del camino, Jack se quedó junto a su hermana, murmurando. Ella me miraba de reojo, así que yo di un paso atrás y miré para otro lado, intentando darles algo de privacidad ya que, obviamente, estaban hablando de mí.

Me sentía tan incómoda que hasta me alegré cuando vi llegar el autobús escolar.

Subí y vi un montón de caras desconocidas que me miraban fijamente.

"Sin miedo", pensé, e intenté mirar con indiferencia mientras me apresuraba a sentarme en un asiento vacío detrás del conductor. Pensé que Jack se sentaría a mi lado, pero caminó hasta el fondo, donde había un grupo de chicos. Hailey me sonrió, pero también pasó de largo y se sentó sola un par de asientos más atrás.

No tenía ni idea de qué amigos podría hacer en mi nueva escuela pero, al parecer, ni siquiera era popular entre la gente con la que vivía.

Mi escuela en Austin es muy moderna. Tiene una sola planta y está llena de ventanas y colores brillantes. Aquí la escuela era un edificio alto, de ladrillo y con aspecto antiguo. En la fachada principal había dos pequeñas escalinatas que llegaban hasta un par de puertas. Sobre una de ellas se leía *Niños* y sobre la otra, *Niñas*. Agarré a Hailey del brazo cuando pasó a mi lado.

—¿Qué pasa? —dijo dando un salto como si la hubiera sorprendido.

—Dime, ¿realmente tengo que entrar por la puerta donde dice *Niñas*?

—No —respondió Hailey—. Puedes usar cualquiera. Ven, te llevaré a la oficina.

Recogí mi horario y el resto de la mañana fue un desastre. La escuela era más grande de lo que yo había pensado. Llegaban niños en autobús de todo el condado. Me perdía por los pasillos. Jack estaba en mi clase de inglés y me presentó a varios chicos cuyos nombres olvidé al instante. Hailey estaba en mi clase de matemáticas. Apenas me saludó desde el

otro extremo del aula y luego se sentó y dibujó en su cuaderno todo el tiempo.

Durante la hora de estudio, me senté sola en una mesa redonda de la biblioteca. A mi alrededor, chicos y chicas susurraban prestándose libros y riéndose en voz baja. Me sentí completamente fuera de lugar. Vi a una chica doblar un papel para formar una flor y dársela a una amiga. Sentí ganas de llorar.

—Solo diez minutos en la computadora —dijo la profesora, dando una palmada para llamar la atención—. Den el turno a otros.

Me paré a toda prisa y me senté frente a una de las computadoras que estaban desocupadas.

Entré en mi correo electrónico y vi que tenía varios mensajes de mis amigas: de Tasha, Ashley y Erica, con las que acostumbraba almorzar, y de Kayla, que estaba en mi clase de matemáticas. Todas decían casi lo mismo: *te extrañamos, abrazos, espero que estés pasándolo bien.* También había algunos chismes: quién se había enamorado de quién, quién había tenido problemas con sus papás y quién había dicho algo inapropiado a algún maestro.

Leyendo los mensajes, me sentí más fuerte. ¿Qué importaba si no tenía amigas acá? Las tenía en mi vida real.

Y si la gente me quería en Austin, probablemente encontraría a alguien en el Valle del Lobo que también me quisiera.

Escribí un mensaje a Tasha rápidamente porque mis diez minutos casi habían pasado.

A: diva12@netmail.com
De: chicaestrella1013@netmail.com

Hola, Tasha:
Montana es bellísimo. Adivina qué olvidó contarme mi mamá: su amiga tiene un hijo y una hija de mi edad.
Son simpáticos, especialmente Jack (¡un CHICO! ¡Vaya!) Mi teléfono aquí no funciona.
Te extraño. ¡Hablamos pronto!
TQM

Escribirle a Tasha me animó, pero a la hora del almuerzo me sentí sola otra vez. Era difícil ser la chica nueva. Nadie era desagradable conmigo, por el contrario, todo el mundo era bastante simpático. Pero después de decir hola cortésmente, casi todos me ignoraban. Extrañaba a Tasha y mis otras amigas,

y era incómodo no conocer a nadie y tener que presentarme una y otra vez.

El almuerzo puede ser intimidante cuando no tienes amigos porque no hay sitios asignados en la cafetería. En mi escuela de Austin, podíamos comer en el patio, pero en la del Valle del Lobo se comía en la cafetería. Levanté los hombros y me llené de valor antes de entrar, repitiendo en mi mente "sin miedo", pero sin creérmelo.

Al principio solo escuché un enorme zumbido de conversaciones de extraños. Había montones de asientos, pero todos estaban ocupados. Estuve a punto de salir de allí.

Entonces vi a una chica que sonreía y me llamaba mientras señalaba una silla vacía en su mesa. Me resultó familiar; era una de las chicas que Jack me había presentado (¡gracias, Jack!), pero no recordaba su nombre. Tenía aspecto atlético, con el cabello oscuro recogido y una enorme sonrisa.

—¡Oye! —dijo—. ¿Marisol, verdad? Ven y siéntate con nosotras.

—Gracias —dije.

Me senté y hubo un breve silencio mientras miraba a sus amigas... y ellas a mí. Una era pelirroja, de cabello corto y rizado, y tenía unos enormes ojos

azules. La otra era la niña de la biblioteca que había hecho la flor de papel. Tenía el cabello largo.

—Lo siento, nos presentaron antes, pero no recuerdo sus nombres. Este día ha sido un desastre.

Todas sonrieron.

—Yo soy Ámbar —dijo la niña de aspecto atlético—, ella es Bonnie y ella es Lily.

La pelirroja sonrió y me saludó con la mano, y la niña de cabello largo asintió.

—Seguro te parece un día muy largo —dijo Bonnie moviéndose en su asiento con entusiasmo—. ¿Verdad que es pesado empezar tarde y no conocer a nadie? Nos dio pena contigo y pensamos que necesitarías a alguien con quien sentarte.

—¡Bonnie! —dijo Ámbar riendo—. No digas eso.

—No era mi intención herir tus sentimientos —dijo Bonnie preocupada—. No lo hice, ¿verdad?

—Claro que no —dije.

Saqué mi bolsa de papel café y empecé a desenvolver mi almuerzo: un sándwich de mantequilla de maní, una mandarina y algunas galletas. Las otras niñas tenían bandejas de la cafetería con hamburguesas.

—Solo los raros o los que tienen problemas alimenticios traen el almuerzo —dijo Bonnie—. La comida de la cafetería no es tan mala.

—¡Bonnie! —exclamó Ámbar de nuevo.

Me di cuenta de que ella era quien más mandaba. Lily solo nos miraba comer.

—Lo siento de nuevo —dijo Bonnie—. No quise decir que tú fueras rara. Solo quería que supieras lo que hace la gente aquí.

—Ah —miré mi sándwich. ¿Realmente la gente pensaba que eras raro si no comías la comida de la cafetería? ¿Y a mí qué me importaba?—. Soy vegetariana, así que tengo que traer mi almuerzo.

—¿Sí? —dijo Bonnie—. Mi papá me mataría si dejara de comer carne. Mi familia se dedica a la cría de ganado.

—A mí me gustan las verduras —dijo Ámbar sonriendo—, pero Lily es completamente carnívora.

—Me encanta la carne —dijo Lily con seguridad.

—Me parece bien —dije—. Quiero decir, no me importa que los demás coman carne, es solo que a mí no me gusta.

Cambiamos de tema y hablamos de otras cosas, de Austin y de lo que hacían en el Valle del Lobo para divertirse, de programas de televisión y gente que no conocía, pero de la que ya sabría muchos chismes cuando me los presentaran.

—Tienes muchísima suerte de vivir con Jack McManus —dijo Bonnie—. Es guapísimo. Yo me apunté al club de cocina solo para verlo, y es chistoso porque yo no sé ni hervir agua.

—Jack es muy agradable —dije—. ¿Todas están en el club de cocina?

—Típico de Bonnie —dijo Ámbar—. Yo no tengo tiempo para clubes porque estoy en la junta estudiantil, que aquí es muy importante, y en los equipos de voleibol y hockey sobre hierba. Y a Lily le gustan las ciencias. Ella está en los clubes de astronomía y ecología.

—¿De veras? —exclamé casi gritando, y Lily parpadeó—. ¡Me muero por apuntarme al club de astronomía! ¡Me dio tanta alegría saber que existía uno!

—Ah —dijo Lily. Se quedó pensativa un momento y luego sonrió levemente—. Hay una reunión hoy después de la escuela. Nos juntamos todos los lunes. Deberías venir.

Cuando sonó el timbre, me sentía mucho mejor que cuando entré en la cafetería. Tenía tres posibles amigas, iba a apuntarme a un club y había vencido el terror a la hora del almuerzo en una nueva escuela. Una vez más, sentí que no le tenía miedo a nada.

CAPÍTULO CINCO

Después de la escuela, llamé a mamá desde el teléfono público que había en la oficina. Mi celular tampoco funcionaba en la escuela. Además, mirando las montañas que rodeaban el pueblo, pensé que debía olvidarme de usar mi celular en el Valle del Lobo. Cuando le pregunté a mamá si podía quedarme a la reunión del club de astronomía, dudó.

—Marisol, me alegra que hayas encontrado tan pronto algo que te gusta en la escuela, pero no tenemos auto. Molly y Mike están siendo muy generosos dejando que nos quedemos aquí, pero tendrán que recogerte y no creo que debamos pedirles favores especiales.

Por suerte, Jack me había dicho durante la clase de estudios sociales que él se quedaba a la reunión del club de cocina y que había un autobús para las actividades extraescolares. Así que le dije a mamá que no necesitaba un favor especial y ella se alegró mucho de que en el Valle del Lobo hubiera un club de astronomía.

—¿Ves? —me dijo—. ¡Estaba segura de que sería un gran trimestre!

—Lo que tú digas, mamá —dije riendo—. Es solo el primer día.

Pero me sentía feliz.

De nuevo me sentí nerviosa al entrar en el salón 204, donde sería la reunión del club de astronomía. Había unos quince chicos y solo reconocí a Lily. Estaba en una mesa, pasando las hojas de un cuaderno. Había un profesor al fondo, pero tenía la cabeza agachada, como si estuviera corrigiendo trabajos, y no parecía que fuera a iniciar la reunión.

—Chica nueva —dijo un niño que estaba junto a la puerta, y me miró de arriba abajo.

Sonrió y vi que tenía aparatos en los dientes… y algo verde pegado en ellos.

—Entra, estamos listos para sangre fresca. —dijo, y se cubrió la mitad del rostro con el brazo e imitó a un vampiro—. Ja, ja, ja.

—Cállate, Anderson —dijo Lily alzando la vista y sonriendo—. Hola, Marisol. Ven a sentarte conmigo.

El niño del aparato en los dientes siguió canturreando.

—Cállate, Anderson, cállate, Anderson. ¿Cuándo Anderson se sentirá querido?

Pero dejó de molestarme y me senté en la mesa junto a Lily.

—Gracias —dije aliviada.

—No hay de qué —me respondió con una sonrisa—. Estamos casi listos para empezar. Yo soy la presidenta, así que te cuento cómo funciona.

Señalé al profesor que estaba sentado al fondo de la clase.

—Ah —dijo Lily—. El Sr. Samuels viene porque necesitamos un patrocinador del club, pero en realidad no está muy interesado en la astronomía. Nosotros mismos dirigimos el club.

Puso una hoja de papel sobre la mesa para que la leyera. Eché un ojo y leí una lista:

El tejido del Cosmos
El universo estable frente al universo en expansión
La exploración del cosmos por el hombre
Eclipses
Tipos de estrellas/el ciclo de la estrella
Cometas

—Estos son algunos temas —dijo Lily—. Todas las semanas alguien hace una presentación. Si hay algún otro del que quieras hablar y no está en la lista lo podemos añadir, siempre que se trate de astronomía. Una vez, alguien quiso hacer una presentación sobre los horóscopos y el amor, y no es lo mismo, claro.

Se echó a reír mientras sacaba otro papel con otra lista de temas, cada uno con el nombre de una persona al lado. Vi que esa tarde Becka Thompson hablaría de los agujeros negros.

—Vaya —dije—, están realmente organizados.

Estaba sorprendida. Durante el almuerzo, Lily había estado callada y parecía tomarse su tiempo para hacer las cosas, incluso para sonreír, pero ahora se veía que era alguien capaz de dirigir. Mi club de ciencia en Austin estaba dirigido por un maestro, no por los estudiantes.

Mientras Lily ordenaba los papeles, vi que tenía una marca de nacimiento en el brazo: una pequeña luna creciente de color café claro. La luna era tan perfecta para la presidenta de un club de astronomía que estuve a punto de decir algo así como "Con una marca de nacimiento como esa, nunca necesitarás hacerte un tatuaje". Por suerte no dije nada. Quizás no le daba gracia y lo último que necesitaba era que alguien más pensara que yo era rara (claramente Hailey lo pensaba).

—Yo hablaré de cometas —dije—, pero dame algunas semanas.

No me entusiasmaba la idea de hablar frente a un montón de extraños, pero ya me preocuparía de eso en otro momento.

Me apuntó para una fecha en noviembre, luego se paró y miró a su alrededor.

—¡Chicos! —dijo, y todos dejaron de hablar—. ¡Becka, tu turno! Becka nos hablará hoy de los agujeros negros.

Una chica delgada con el pelo rizado y alborotado se paró frente a la clase. Estaba tan nerviosa que no paraba de moverse.

—Pues —dijo—, bueno, los agujeros negros son lugares con una gravedad tan fuerte que no dejan salir ni siquiera la luz.

Continuó hablando y se fue relajando poco a poco. Sabía mucho sobre el tema, y había traído imágenes sacadas de la página de internet del telescopio Hubble.

Lo más increíble era que todo el mundo estaba atendiendo. No se oían susurros, ni nadie dormitaba ni se pasaba notas. Todos escuchaban y levantaban la mano para hacer preguntas. En mi ciudad, los chicos del club de ciencias solían estar bastante interesados, pero siempre había algún despistado o alguien pasando notas. No siempre era fácil prestar atención después de un largo día en la escuela.

Yo había estudiado astronomía con mi papá, por eso era muy especial para mí, incluso cuando era pequeña. A mis amigos del club de ciencias les gustaba la ciencia y a muchos les interesaba la astronomía, pero no como a mí.

Sentí un escalofrío de felicidad. Aquí, en Montana, había caído en una especie de universo alternativo donde a todos les gustaban las ciencias tanto como a mí.

Cuando Becka terminó de hablar, todos aplaudimos y Lily se puso de pie.

—Muy bien, gracias, Becka. La próxima semana Tyler hablará de los planetas extrasolares. —Reunió algunos papeles sobre su mesa y volvió a alzar la cabeza—. Bueno, pasemos a los anuncios. Ya saben que faltan solo dos semanas para la excursión al Parque Nacional de los Glaciares. Si tienen amigos que quieran venir, serán bienvenidos. Es muy divertido y cuanta más gente venga, más barato será el viaje para todos. Esta noche hay luna llena, así que para entonces estará en su cuarto creciente, casi llena. Si no llueve, será muy lindo.

—Si no tienen el formulario de permisos, vengan a verme —dijo el Sr. Samuels mientras se paraba—. Nadie puede ir a esta excursión si no tiene el formulario firmado por sus papás. Y recuerden, solo estudiantes de esta escuela pueden venir con nosotros.

Todo el mundo empezó a guardar sus cosas y a acercarse a toda prisa al Sr. Samuels para recoger un formulario. Cuando yo terminé de hablar con él, vi que Lily me estaba esperando.

—Bueno, ¿qué te pareció?

—Fabuloso —respondí con entusiasmo—. Aunque tendré que preparar muy bien el tema de los cometas si no quiero hacer el ridículo.

—¿Tienes que tomar el autobús de actividades extraescolares? —preguntó Lily mientras recogía su mochila.

—Sí —respondí—. ¿Y tú?

—También, será mejor que nos apuremos para no perderlo.

Me sentí ridículamente orgullosa de mí misma. Al comienzo del día no conocía a nadie excepto a Jack y Hailey, y ahora caminaba por el pasillo con una posible amiga después de una reunión de un club, como si llevara toda la vida en esta escuela.

—Háblame de la excursión —dije.

—Es impresionante —respondió Lily con los ojos brillantes—. Vamos un montón de chicos al Parque Nacional de los Glaciares. Llevamos telescopios y observamos las constelaciones, la Luna, Júpiter, Venus, todo lo que podamos ver. El año pasado también leímos mitos sobre la luna y las estrellas. Viene con nosotros un grupo de maestros. Tostamos malvaviscos y disfrutamos de la experiencia de acampar al aire libre. Estoy segura de que Jack y sus amigos ya se apuntaron, al igual que Ámbar y Bonnie. Así que tú también tienes que venir.

—Claro que sí —dije—. Quiero decir, siempre que mi mamá me deje, aunque no veo por qué no me dejaría.

El chico flacucho del aparato en los dientes que había dicho lo de chica nueva nos alcanzó.

—Tengo muchas ganas de ir a la excursión —dijo—. Estoy trabajando en un cuento de fantasmas que hará que los niños de sexto de primaria salgan corriendo a buscar a sus mamás.

—Anderson, si no te importa —dijo Lily—, estamos conversando.

Aunque pareciera increíble, Anderson se calló y Lily volvió a dirigirse a mí.

—¿Tienes un telescopio? Intentamos llevar todos los que podamos para que todo el mundo pueda ver.

—Sí, tengo uno. Lo llevaré encantada a la excursión.

Lo había traído como equipaje de mano en el avión, aunque mi mamá creía que debía dejarlo en Austin.

—No me di cuenta de que había luna llena esta noche hasta que lo dijiste. Quizás saque el telescopio. Todavía no lo he usado aquí y las estrellas se ven mucho más que en mi ciudad.

—Bueno —dijo Lily, y arrugó la frente—, en realidad no es buena idea salir sola por la noche al Valle del Lobo, especialmente si hay luna llena.

—¿Y por qué?

Anderson empezó a reírse y se me acercó poniendo las manos como si fueran garras.

—Por los *hombres lobo* —dijo con tono amenazador.

CAPÍTULO SEIS

—¿Hombres lobo? —miré a Lily y a Anderson.

Obviamente era un chiste, pero no lo entendía.

—No existen los hombres lobo, Anderson —dijo Lily rotundamente.

—Eso lo dices tú —dijo Anderson sonriendo—. Todo el mundo sabe que el Valle del Lobo está asolado por hombres lobo. ¿Por qué crees que se llama así?

—¿Por los lobos? —dijo Lily.

—Sí, lobos demasiado grandes e inteligentes —respondió Anderson—. Hay una temporada en la que se permite cazar lobos, pero solo se pueden cazar unos setenta y cinco en todo el estado, y luego termina la temporada.

—Puaj —dije—. Odio la caza.

—De todas maneras —continuó él—, durante todo el año la gente ve lobos enormes en esta zona. Especialmente por la noche y cuando hay luna llena. Así que durante la temporada de caza, llegan cazadores de otros lugares, e incluso hay gente de aquí que saca la licencia, pero nadie logra cazar ni un solo lobo. Simplemente desaparecen. Y luego, cuando termina la temporada, vuelven. ¿Te parece normal? ¿Acaso los lobos conocen el calendario?

Miré a Lily con escepticismo. ¿Estaba bromeando este chico?

—Coincidencia —dijo Lily—. Anderson está exagerando. La gente los oye pero casi nunca los ve. Los estudiantes de la universidad acampan para ver lobos en la temporada que se supone es mejor para verlos, pero creo que nunca han visto ni uno solo. Y teniendo en cuenta que solo se pueden cazar setenta y cinco lobos en todo el estado durante la temporada de caza, sería más sorprendente desde el punto de vista estadístico que un cazador atrapara uno.

—¿Ah, sí? —dijo Anderson—. ¿Y de dónde vienen todas las historias de los hombres lobo del Valle del Lobo? Mi abuelo me contó que su propia abuela vio cómo le disparaban en una pata a un enorme lobo y que al día siguiente su vecino caminaba cojeando.

Lily y yo nos quedamos mirándolo unos segundos, pero no pudimos contener la risa por mucho tiempo.

—Anderson —dijo Lily entre risas—, es la historia más loca que he oído.

Aún nos reíamos cuando subimos al autobús. Lily y yo nos sentamos juntas, y Anderson se acomodó en el asiento de atrás. Jack estaba al fondo del autobús con otros chicos, y me saludó desde allí.

—Dejen de reírse de mí —dijo Anderson—. Hay montones de historias de gente que ha visto hombres lobo. Si encontramos a alguien con características de hombre lobo, hay que observarlo durante la luna llena.

—¿Como qué? —le pregunté—. ¿Cuáles son esas características?

—El dedo anular largo —dijo Anderson levantándose, feliz de que yo mostrara interés—, orejas puntiagudas, cejas pobladas.

—No es cierto —exclamó Lily—. Por favor, cualquiera podría tener eso. Yo misma tengo las orejas puntiagudas.

Se apartó el cabello para mostrárnoslas. Tenía las orejas un poco puntiagudas.

—Pero no soy una mujer lobo, ¿o sí? Y mis anulares también son bastante largos.

Le miré las manos, pero me pareció que sus dedos eran normales.

—Bueno —Anderson la miró con el ceño fruncido—, las cejas son la señal más reconocible.

—A lo mejor me las depilo. Tú no lo sabes, ¿o sí? —Lily le sonrió y se dio la vuelta para mirarme—. Marisol, no hay hombres lobo, pero sí hay manadas de lobos, por eso la gente se queda en casa por las noches. Así que no salgas a pasear a no ser que vayas con un grupo grande.

Me recorrió un escalofrío al recordar lo que sentí cuando me quedé afuera en mi primera noche en aquel lugar.

Jack y yo bajamos del autobús al final del largo viaje hasta la casa. Yo caminaba rápidamente y con nerviosismo. Eran más de las cuatro de la tarde. En los últimos meses del año, a esa hora ya era casi de noche. Ahora que sabía que el bosque estaba lleno de lobos, no me hacía gracia tener que recorrer ese camino a oscuras. Me alegraba no estar sola, pero dudaba de que Jack fuera de gran ayuda frente a una manada de lobos.

—¿Qué pasa? —me preguntó Jack mientras se apresuraba para alcanzarme—. ¿Qué tal fue la reunión?

—Bien —dije, caminando más aprisa—. Vamos adentro.

Sentí un pinchazo en la nuca, como si alguien me estuviera observando, y di la vuelta para mirar entre las sombras de los árboles al borde del camino. ¿Acaso era el brillo de los ojos de un lobo, un hombre lobo? Me estremecí, agarré a Jack del brazo y lo halé hasta la puerta.

—¿Pero qué pasa? —preguntó Jack, apartando el brazo, medio riéndose, medio enojado—. ¿Estás bien?

—Lo siento. Estoy un poco nerviosa —dije, y entré en la casa—. ¿Oíste que hay lobos por aquí?

Jack sonrió e inclinó la cabeza hacia Hailey.

—Deberías preguntarle a ella. Es la experta en vida salvaje.

Hailey cruzó los brazos y se quedó mirándome. Recordé las paredes de su habitación, todas cubiertas de fotografías de animales. Pero no parecía que ella fuera a darme ninguna información.

—Hailey —dije con una voz superamable—, por favor, háblame de los lobos.

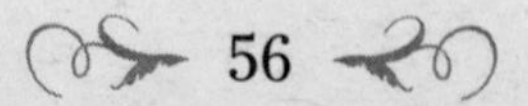

—No sé qué quieres saber —dijo de mala gana—. Por aquí hay al menos una manada, la gente la ha visto. Se estima que deben ser unos quince, así que es una manada bastante grande. Pero deben recorrer una zona grande porque nadie sabe dónde está su madriguera y pasan meses sin salir.

—¿Atacaron alguna vez a alguien? —pregunté con morbo—. Lily me dijo que no saliera por la noche sola con el telescopio.

—Los lobos no atacan a las personas —dijo Hailey con dureza—, a no ser que se sientan acorralados o estén muertos de hambre.

Jack buscaba comida en la alacena de la cocina. Sacó una bolsa de papas fritas.

—Pero sí han matado a animales como ovejas y vacas. Los ganaderos los odian —dijo.

—Nadie sabe con certeza si fue la manada de lobos —respondió Hailey—. Pueden haber sido perros vagabundos.

—Eh... —dije sintiéndome como una tonta—. Uno de los chicos habló de hombres lobo.

—¿Fue Anderson? —preguntó Jack riéndose—. Siempre tiene alguna teoría rara entre manos. Durante años se han escuchado historias de hombres lobo, pero nadie las toma en serio.

—Los hombres lobo no existen —dijo Hailey. Yo empecé a asentir, pero ella siguió hablando—. Es una lástima porque los lobos son increíbles. Son dignos, valientes y leales. Son un montón de cosas que los seres humanos deberían ser. A algunas personas no les vendría mal imitar a los lobos.

Hailey frunció el ceño de forma desafiante. Le brillaban los ojos, y sentí un sentimiento cálido hacia ella. *Dignos, valientes, leales*, seguramente valía la pena ser amiga de alguien que defendía esas cualidades con tanta pasión. Entonces, tomé una decisión.

—Hailey, siento que comenzamos mal, sé que hice que te enfadaras conmigo, pero no sé por qué. ¿Podemos volver a intentarlo? Me gustaría que fuéramos amigas.

Durante un minuto Hailey se quedó muy quieta.

—No sé de qué hablas —dijo.

La miré, y ella me miró con sus ojos azules muy abiertos y, de pronto, Jack dio un golpe sobre la mesa y las dos saltamos del susto.

—¡Hailey! —dijo con dureza—. Marisol lo está intentando. Dale una oportunidad.

Le sonreí, pero él miraba enojado a su hermana.

Hailey suspiró y, cuando me miró, su expresión ya no era tan dura.

—Escucha, Marisol —dijo—, cuando llegaste dijiste algunas cosas de niña estirada, como si fueras mejor que nosotros porque vivíamos en el campo —jugueteó con su cuaderno—. Estaba nerviosa porque venías a quedarte en mi casa y eso hirió mis sentimientos.

—¿Como qué? ¿Qué dije? —noté que mi voz sonaba más aguda.

—Dijiste que no te importaba lo que la gente de aquí pensara de ti. También te sorprendiste porque no podíamos comprar sushi en el pueblo, o porque teníamos una camioneta en lugar de un auto híbrido.

—Ah —dije.

En realidad me pareció que Hailey estaba siendo demasiado susceptible, pero me alegró saber la razón de su frialdad conmigo y que solo fuera un malentendido.

—Lo siento, Hailey —dije—. No fue mi intención. La verdad es que me gusta estar aquí. Cuando dije que no me importaba lo que la gente pensara es porque me marcharé pronto. Quise decir que si no le caigo bien a nadie no importa porque no tengo que quedarme. Y de todas formas no lo dije en serio porque sí quiero tener nuevos amigos.

Me volvió a la mente la imagen de Hailey sentada sola en la clase y me sonrojé un poco. No me parecía que tuviera muchos amigos.

—Y todo lo demás fueron tonterías, algo que hago a veces.

Hailey frunció el ceño y miró su cuaderno. Luego levantó la mirada y me sonrió.

—Bueno —dijo—. Yo también lo siento. Debí haber sido más amable contigo.

Sentí que se me quitaba un peso de los hombros. No me había dado cuenta hasta qué punto me estaba afectando vivir con alguien a quien no le caía bien.

—Bueno —dijo Jack—, ¿tienes la tarea de estudios sociales?

Después de la cena, nos quedamos con nuestros padres un rato, jugando juegos de mesa. Hailey resultó ser muy buena jugando Cranium.

Pero a medida que pasaba el tiempo, Hailey se iba poniendo nerviosa y cada vez se distraía más. Movía la rodilla sin parar, daba vueltas en su asiento y perdía su turno.

—¿Pero qué te pasa? —le preguntó Jack cuando olvidó lanzar los dados por tercera vez.

—¿Qué? —preguntó Hailey, tamborileando los dedos sobre la mesa y echando una rápida ojeada por la ventana.

Yo miré también, pero solo vi la oscuridad.

—No —dijo Jack, levantándose—, si nadie presta atención al juego, me voy a la cama.

—Yo también —dijo Hailey parándose.

Mientras subían, nuestras mamás se miraron sonriendo.

—Me alegro de que las niñas se lleven mejor —dijo mamá alegremente.

—Todavía estoy aquí —les recordé, y ellas se echaron a reír.

Revisé mi correo en la computadora de la sala. Tasha me había respondido.

A: chicaestrella1013@netmail.com

DE: diva12@netmail.com

¡Dos hijos de tu edad! ¡Y uno es un CHICO! Olvidaste contar lo más importante: ¿es GUAPO? Todavía me prefieres a mí, ¿verdad?

Respondí:

A: diva12@netmail.com
De: chicaestrella1013@netmail.com

Jack es superguapo, pero solo me gusta como amigo. Y Hailey es simpática, pero no tanto como tú. Hoy conocí a un par de posibles amigas. Creo que Montana me gustará. (¡Pero jamás como Austin!)

Luego le di las buenas noches a mi mamá, a Molly y a Mike y me fui a la cama.

Estaba en mitad del pasillo, delante del cuarto de Hailey, cuando escuché:

Auuuuuuu-Auuuuuu.

Se me aceleró el pulso. ¿Sería el aullido de un lobo? Lo oí de nuevo y se me erizó la nuca.

Auuuuuuu-Auuuuuu.

"Al menos no estoy afuera con el telescopio", pensé.

Pero era increíble. El aullido parecía tan salvaje y solitario. Pensando en lo que Hailey dijo antes, supe que le impresionaría ese sonido y me pregunté si lo habría oído.

Llamé a su puerta.

Luego volví a llamar. No había pasado mucho tiempo desde que subió. No podía estar dormida.

Recordaba el día en que llegué, cuando me quedé en la oscuridad frente a su puerta y ella me dijo que su habitación era privada. Pero ahora éramos amigas, ¿no? Giré el pomo de la puerta.

Las luces estaban apagadas y la ventana estaba abierta de par en par. Una brisa fría hacía temblar los carteles de las paredes. El resplandor de la luna llena dejaba ver las siluetas de los muebles.

—Hailey —dije, entrando en la habitación.

Su cama estaba vacía. No podía estar en el pasillo ni en las escaleras, me habría cruzado con ella si hubiera ido a cualquier sitio, excepto a mi habitación. Corrí hasta allí, pero Hailey no estaba.

Recordé que había estado mirando por la ventana, a la oscuridad, y el escalofrío que había sentido esa tarde cuando regresaba a la casa.

El aullido del lobo se escuchó de nuevo, bien claro en el aire frío de la noche.

Auuuu-Auuuuu.

CAPÍTULO SIETE

No sabía qué hacer. Por un lado, quería ir a buscar a mi mamá y a los papás de Hailey para decirles que había desaparecido y que había lobos allá afuera. Pero al mismo tiempo, Hailey comenzaba a ser amigable, y ¿qué tal que estuviera buscando algo en la cocina y yo no la hubiera visto? No quería armar un lío. Además, parecería una idiota si no fuera cierto.

Seguro que estaba hablando con Jack antes de acostarse. Me aferré a esa idea como si fuera un salvavidas. Era razonable, no había nada que temer.

"Sí, está hablando con su hermano", pensé.

Aun así, dejé mi puerta abierta para oírla cuando regresara, y me senté en la butaca de flores de mi habitación desde la que se veía el pasillo. Estábamos leyendo *Los pasos perdidos* en la clase de español y traté de avanzar en la lectura, pero no podía concentrarme. Después de unos minutos, me paré y caminé nerviosa por la habitación.

Entre los folletos turísticos sobre la región que estaban en mi mesa, había un pequeño libro llamado *Los lobos del Valle del Lobo*. No lo había abierto antes pensando que era una guía de animales, pero ahora lo miré con más detenimiento. Si fuera una guía, ¿no tendría fotografías?

—Qué raro —murmuré.

Lo abrí y leí:

> En el principio de los tiempos del Valle del Lobo, los colonos pasaban las noches inquietos por los aullidos de las manadas de lobos que merodeaban su nuevo hogar. Los niños y el ganado tenían que estar siempre dentro de las casas o en los establos por miedo a las hambrientas criaturas. Luego, los nuevos habitantes empezaron a oír viejas historias que contaban las tribus indígenas vecinas sobre criaturas que eran medio hombre y

medio lobo, que rondaban por las montañas y los bosques cercanos.

El libro seguía contando que una noche ocho cazadores salieron a cazar los lobos que tanto los inquietaban, y que solo volvieron tres. El resto de los vecinos notaron algunos cambios en esos tres hombres y sus familias. Desde aquella cacería se volvieron recelosos y hostiles con sus vecinos. Les salió más pelo, las orejas se les pusieron puntiagudas y se decía que comían carne cruda. (¡Puaj!)

Poco a poco surgieron rumores de que esas familias se convertían en lobo cuando había luna llena. Se contaban historias como la que contó Anderson, un lobo que recibía un disparo y, al día siguiente, un vecino aparecía con una herida. Había gente que aseguraba haber visto a personas convertirse en lobos en los bosques que rodeaban las casas del Valle del Lobo.

La leyenda decía que los cazadores habían sido maldecidos por los lobos místicos del valle. Se habían aventurado en el bosque salvaje y el bosque los había cambiado. El pueblo vivía con miedo.

Una noche, alguien quemó las casas de las familias de las que se tenían sospechas. El libro decía que nunca se supo con seguridad quién fue, pero parece que todo el pueblo era cómplice. Las tres familias desaparecieron y se dijo que se habían adentrado más en el bosque.

El libro continuaba:

Nunca se volvió a ver a las tres familias, pero el Valle del Lobo todavía alberga un gran número de lobos, cuyo número aumenta en las noches de luna llena. Ahora sabemos que no existen los hombres lobo y que no hay nada sobrenatural en los bosques del Valle del Lobo... ¿o quizás sí?

—Qué raro —murmuré de nuevo, y me estremecí. Miré afuera, donde brillaba la luna llena. De repente me pareció amenazadora. Me paré y cerré las cortinas.

Era ya tarde cuando me fui a la cama, convencida de que no sería capaz de dormir. Me quedé acostada un buen rato, escuchando, pero no oí ningún sonido en la habitación de Hailey. El lobo parecía haber pasado de largo porque no volví a oír el aullido. Sentí que pasaban las horas mientras esperaba, pero cuando finalmente me dormí, Hailey todavía no había vuelto a su habitación.

Caminaba por el mismo sendero del bosque de mi sueño anterior. Hacía más frío y el viento azotaba las ramas de los árboles, formando sombras oscuras con forma de garra.

La luna llena brillaba sobre el horizonte, redonda y amarilla, como si fuera una fruta madura. Las hojas crujían bajo mis pies.

Era el mismo sendero, pero esta vez yo no era una feliz exploradora. No quería avanzar más, pero tampoco podía detenerme ni darme la vuelta. Sentía la boca seca por el miedo. Algo iba a ocurrir. Algo nuevo y horrible. Se escuchó un crujido de ramas secas entre la maleza. De repente, una figura sucia y desaliñada saltó frente a mí. Cayó apoyada en sus manos y rodillas, con el cabello rubio ocultándole el rostro. Mientras intentaba ponerse de pie, vi que era Hailey. Respiraba con fuerza y logró incorporarse a medias, pero volvió a caer de rodillas. Intenté extenderle la mano, pero no podía moverme.

Se retorció muerta de dolor. Luego su cara se alargó, su nariz y su barbilla crecieron hasta convertirse en una especie de hocico. Su cuerpo se retorció de dolor mientras se transformaba en algo nuevo.

Hailey se había convertido en un lobo. Levantó la cabeza y aulló a la luna.

Cuando sonó la alarma del despertador, me quedé un minuto sin moverme, parpadeando bajo la brillante luz del sol que entraba por la ventana.

¿Habría vuelto Hailey anoche? Salí de la cama y me asomé al pasillo. La puerta de su habitación estaba cerrada. No recordaba si la había dejado abierta o no.

Salí de puntillas al pasillo y me paré a escuchar frente a la puerta. Nada. Llamé suavemente.

La puerta se abrió de golpe y di un paso atrás.

—Hola —dijo Hailey. Parecía dormida y confundida—. ¿Qué ocurre?

—¿Dónde estabas anoche? —pregunté.

—¿Eh? Aquí —respondió levantando una ceja, intrigada.

—Te busqué y no te encontré. Me quedé escuchando pero no te oí regresar.

—Seguramente estaba en el baño o abajo, tomando algo. Por las noches a veces paseo un poco por la casa. Pero no estuve mucho rato. Seguramente te quedaste dormida.

Parecía casi aburrida y totalmente creíble. Pero vi que tenía una pequeña mancha de lodo en la mejilla y su cabello estaba despeinado y enredado. ¿Cómo podía haberse manchado tanto en su cuarto?

—¿Querías algo? —preguntó Hailey, tocándose la mejilla tímidamente—. Quiero decir anoche, cuando viniste a buscarme.

—Sí, quería saber si oíste al lobo.

—Ah, sí —suspiró Hailey, y sonrió—. ¿No fue maravilloso?

Se volteó y cerró suavemente la puerta en mi cara. Por un momento me quedé mirando la puerta sin comprender. Cuando Hailey se volteó, alcancé a ver una hoja seca enredada en su pelo. Desde luego, no estaba ahí cuando se fue a dormir. Dijera lo que dijera, estaba segura de que Hailey había pasado parte de la noche fuera de casa.

* * *

La pesadilla que había tenido con Hailey aún me preocupaba y no podía parar de pensar en todo lo que Anderson había contado en la escuela sobre los hombres lobo. Además, el comportamiento extraño de Hailey la noche anterior me había dejado muy confundida. Definitivamente pasaba algo raro.

Durante el desayuno me quedé mirando a Hailey atentamente. Se había peinado y limpiado el lodo, pero parecía muy cansada. Molly estaba preparando panqueques vegetarianos mientras ella los esperaba sentada frente a mí. Se había acomodado con los codos sobre la mesa, la barbilla apoyada en una mano y, poco a poco, iba cerrando los ojos, inclinándose hacia un lado.

De repente, algo me tocó el hombro y grité, saltando de la silla. Mi mano golpeó algo duro y se oyó un estruendo.

—¡Marisol! —me regañó mi mamá.

Cuando mi corazón dejó de latir a toda velocidad, vi a mi mamá con el ceño fruncido detrás de mí. En el suelo estaba la jarra del jugo de naranja que seguramente llevaba en las manos.

—Lo siento, lo siento —dije—. Lo limpiaré, es que me asustaste.

—Ya veo —dijo—. Vaya reacción.

—Lo siento —murmuré de nuevo.

Hailey había abierto los ojos y me miraba soñolienta, pero fijamente, como un gato. O quizás como un lobo. Y acababa de darme cuenta de algo que antes no había notado: sus orejas eran puntiagudas.

Busqué un trapo y ayudé a mi mamá y a Molly a recoger la jarra rota y limpiar el jugo.

—Molly —dije, intentando no dar importancia a lo que decía—, ayer leí en mi cuarto... este... el libro de los hombres lobo.

—¿No es para morirse de risa? —dijo Molly riéndose—. A nuestros huéspedes les encanta.

—Claro —dije dudosa—. Este pueblo tiene una historia muy curiosa.

—Desde luego —respondió con orgullo.

—Marisol —dijo mi mamá—, cualquier cosa que quieras saber sobre el Valle del Lobo te la puede contar Molly. Su familia ha estado aquí toda la vida, ¿verdad, Molly?

—Así es —dijo Molly animadamente—. Mi familia estuvo involucrada en esa historia de los hombres lobo.

Sentí que se me paraba el corazón.

—¿De veras? —exclamó mi mamá—. ¡Nunca me lo contaste!

—Bueno, fue hace mucho tiempo —dijo Molly—. Es terrible cómo el pueblo se ensañó en contra de unas familias inocentes, pero ya eso es historia.

Volví la mirada lentamente hacia Hailey. No nos escuchaba. Jugueteaba con el anillo que llevaba puesto y miraba por la ventana.

Su dedo anular parecía exageradamente largo.

El anillo era de oro, con una turquesa en el medio. La piedra tenía la forma de un lobo aullando.

Hailey debió notar que la estaba mirando porque se dio la vuelta y sus ojos chocaron con los míos. Me observó fijamente. Su mirada parecía fría y distante, como la de los lobos en todas las fotografías que había visto. Un escalofrío me recorrió la espalda.

CAPÍTULO OCHO

A: diva12@netmail.com

De: chicaestrella1013@netmail.com

Tasha:

Aquí están pasando cosas muy raras. No puedo explicarlo porque aparentemente no es nada: Hailey tiene las orejas puntiagudas y su dedo anular es tan largo como el del medio, y estoy segura de que salió de casa la noche en que aulló un lobo. ¿Tiene sentido? Había luna llena, si te sirve de ayuda.

Te lo digo a ti porque estás lejos y no puedo contárselo a nadie de aquí... Creo que Hailey es una mujer lobo y sé que es una locura, por eso no puedo decírselo a nadie. Además, tampoco

quiero decirlo porque me siento mal por Hailey, que parece no tener amigas, y no quiero empeorar su situación regando el rumor de que es una mujer lobo. Dime que estoy loca.

Te extraño.
TQM
Marisol

A: diva12@netmail.com
De: chicaestrella1013@netmail.com

Hola, Marisol:
Tienes razón, estás loca. Te dije que eso pasaría si te ibas a vivir al fin del mundo, pero no pensé que ocurriera tan pronto.

Si de verdad quieres comprobar si es una MUJER LOBA, lo único que puedo decirte (aparte de que busques ayuda mental ☺) es que en el campamento de verano del año pasado participé en una obra de teatro que se llamaba "Los locos de la luna llena". No recuerdo si te lo conté. Yo interpretaba a Mira, a quien un hombre lobo mordía, y tenía que elegir entre convertirse en

mujer lobo o dejar que el científico loco probara su poción con ella. ¡Tuve que cantar un solo y ponerme un vestido negro fabuloso!

En cualquier caso, en la obra de teatro los hombres lobo no podían acercarse a la plata. Era como los vampiros con las cruces. Si un hombre lobo tocaba la plata, gritaba de dolor. Si hubiéramos tenido dinero para efectos especiales, también le habríamos ahumado las manos. ¿Por qué no consigues que toque algo de plata? Cuando veas que no pasa nada, podrás olvidarte de esto.

¿O todo esto es un chiste?

Sal del Valle de las Muchas Montañas, Montana, y llámame. Por correo no sé si estás bromeando.

¡Te extraño!
TQCH (Te quiero como una hermana)
Tasha

De acuerdo. Plata. La idea de los hombres lobo era difícil de creer, pero me gustaba pensar de

manera científica y eso significaba que debía sopesar las pruebas y averiguar todo lo que pudiera antes de juzgar.

Escribí la frase "cómo saber si alguien es un hombre lobo" en internet, pero no encontré nada interesante. Necesitaba un manual serio acerca de hombres lobo en la vida real, como una *Guía para idiotas para detectar hombres lobo.* Sin embargo, lo que encontré fueron historias como la que contó Anderson, o cosas como "En este libro de Harry Potter, Snape les pone a los chicos una tarea sobre cómo identificar hombres lobo" y "en esta película, los vampiros pueden detectar hombres lobo por el olor".

Era como si la gente no creyera que los hombres lobo existieran en la vida real.

Me pasé todo el día vigilando a Hailey en la escuela. Parecía ausente y cansada. A la hora del almuerzo, la invité a la mesa en la que estaba sentada con Ámbar, Bonnie y Lily. Bonnie me miró raro, pero ninguna dijo nada feo contra ella. De todas maneras, Hailey solo bostezó, sonrió y apenas habló. Comió muchísimo, como si estuviera muerta de hambre. No pude evitar pensar que eso seguramente se debía a su transformación en mujer lobo.

Cuando llegué a casa esa tarde, decidí hacer algo. El consejo de Tasha era lo único que tenía por ahora, así que rebusqué en el pequeño joyero que había traído de Austin y encontré mi vieja pulsera de dijes. Solía usarla en el pasado, pero hacía ruido y se enganchaba con todo, por eso ya apenas me la ponía.

Uno de los dijes era una estrella de plata. La saqué de la pulsera, quité un colgante de una cadena que decía "plata de ley", y sustituí el colgante por la estrella.

Salí al pasillo, fui hasta el cuarto de Hailey y toqué la puerta. Esta vez, cuando abrió, me recibió con una sonrisa.

"Realmente estamos empezando a ser amigas", pensé. Y con lo que estaba a punto de hacer le caería mejor aun (a no ser que estallara en llamas), por lo que me sentí un poco culpable. Hailey también me caía bien, pero ahora quería ser más amable con ella, en parte, para descubrir si era un monstruo.

—Hola —me dijo—, ¿quieres ver lo que estoy haciendo?

—Claro —dije, y entré.

Montones de animales nos miraban desde todos los ángulos, pero con las luces encendidas, la habitación parecía bastante acogedora. Las paredes (lo que podía ver debajo de las fotografías y los carteles) estaban pintadas de amarillo y la colcha de la cama tenía girasoles. Había un escritorio que tenía un girasol pintado. Sobre el escritorio había trocitos de colores esparcidos. Al acercarme, vi que eran pequeños cuadrados de cerámica y que Hailey estaba trabajando en un mosaico hecho de diminutos cuadrados que seguían el patrón de un remolino azul y verde.

—Es bellísimo —dije.

—Gracias —respondió en voz baja—. Para la clase de literatura tenemos que hacer algo relacionado con un poema que elijamos y pensé que esto sería más divertido que pararme delante de la clase y hablar. El poema dice: *Con fuerza nos conduce sobre las olas hinchadas sin fin/ nada por delante y nada por detrás, solo el cielo y el mar.* Es un poema de Coleridge. Estos colores y círculos me hacen pensar en el mar.

—Sí —dije—, a mí también me hacen pensar en el mar.

—Nunca he visto el mar —dijo Hailey—, pero me gustaría mucho verlo algún día. Me encantaría ver las focas salvajes.

—Ah, tengo algo para ti —dije un poco nerviosa—. Quería agradecerte por, bueno, hacer que me sienta bien en tu casa. Eres una estrella.

—¡Ay! —dijo Hailey, sorprendida y feliz—. ¡Gracias!

Se puso la cadena en el cuello y, como era difícil asegurar el cierre, me acerqué a ayudarla. No sé qué había esperado, pero no estalló en llamas ni gritó de dolor. La plata descansaba inofensivamente sobre su cuello.

Volví a mi habitación sintiéndome un poco tonta. Pero en el fondo, quedaba algo de duda en mi mente. La prueba de la plata no había sido científica del todo.

CAPÍTULO NUEVE

Estaba lista para el fin de semana. Ya no me perdía por los pasillos y sabía de qué trataban mis clases, pero había sido una semana muy difícil.

El sábado por la mañana, Jack bajó a la cocina lleno de energía, saltando.

—¿Qué tal, chicas? —dijo, jalándome el pelo levemente.

—¿Qué te pasa? —le preguntó Hailey—. ¿Por qué te levantaste tan temprano?

—Es un día precioso —dijo Jack, señalando la ventana—. Brilla el sol, sopla la brisa y es un día perfecto para llevar a nuestra nueva amiga a montar a caballo y almorzar en el campo.

—Perfecto —dije. Hacía un poco de frío, pero ya me había dado cuenta de que la gente de Montana

pensaba que, si no estaba helando, era un buen día para salir—. Pero a mi mamá le preocupa que vaya a montar sin un adulto —añadí.

—No te preocupes —dijo Jack—. Hailey y yo salimos con jinetes inexpertos todo el tiempo y estamos acostumbrados. Además, seremos tres, así que cuando te rompas una pierna, uno de nosotros se quedará contigo y el otro irá a buscar ayuda.

Me quedé mirándolo.

—Era una broma —dijo—. En serio, mi mamá sabe que no hay problema y convencerá a la tuya.

Y así fue. Como soy hija única, estoy acostumbrada a que mi mamá controle todo lo que me rodea: a ella le gusta conocer a los padres de mis amigas antes de dejarme pasar la noche en sus casas y siempre llama para comprobar que llego a donde digo que voy. Cuando voy a visitar a mi papá es incluso peor porque él no está acostumbrado a vivir conmigo y siente que tiene que ser especialmente cuidadoso. Pero Molly insistió en que Jack y Hailey eran muy *responsables* y tenían mucha *experiencia* montando a caballo. Dijo que eran muy buenos profesores con jinetes inexpertos, que los dos tenían un certificado de primeros auxilios y llevaban años haciendo excursiones a caballo en las que incluso pasaban la noche fuera. Al final, mi mamá parecía agotada con tantas palabras y me dio permiso para ir.

Jack sacó del establo una yegua color café con crin y cola negras, y la ató a una valla. Luego volvió al establo y sacó un caballo negro y otro café más claro y los ató junto al primero.

—Esta es Bibi —dijo, acariciando el cuello de la yegua café—. Es muy amistosa y paciente. Siempre se la damos a los jinetes inexpertos porque es muy tranquila y le gusta quedarse con los otros caballos. Si tú no le dices a dónde ir, ella de todas formas nos seguirá.

Acaricié con nerviosismo el hocico de Bibi. Tenía una mancha blanca y sentí el pelo duro bajo mis dedos. Resopló y me miró amistosamente.

—Es simpática —dije.

—Claro que sí —dijo Jack, y entonces me mostró cómo subirme a Bibi y agarrar las riendas—. Este es Sombra —dijo luego, subiéndose fácilmente al caballo negro—. Es mi amigo. Hailey casi siempre monta a Copo de Nieve, ese que ves ahí.

—¿Copo de Nieve? —dije. Era completamente café.

—Le puse el nombre cuando tenía seis años —dijo Hailey, que venía corriendo desde el granero—. Acababa de ver un programa en la televisión donde salía un caballo llamado Copo de Nieve. Gracias por ponerle la silla, Jack. Mamá me pidió que fumigara los rosales antes de prepararlos para el invierno.

—Apúrate o nos iremos sin ti —dijo Jack.

Hailey se acercó y extendió la mano para agarrar las riendas de Copo de Nieve, pero este resopló y dio un paso atrás.

—Eh, Copo de Nieve —dijo Hailey, y siguió hablándole suavemente al caballo hasta que se calmó un poco. El hocico le temblaba, y cuando Hailey volvió a extender la mano, Copo de Nieve retrocedió moviendo la cabeza.

—No sé qué le pasa —dijo Hailey con voz temblorosa—. Ayer estaba bien. ¿Estará enfermo?

—Llévate a Sombra —dijo Jack, bajándose del caballo—. Déjame probar con Copo de Nieve.

Copo de Nieve se tranquilizó a medida que Hailey se alejaba. Frotó su hocico en la mano de Jack, casi como disculpándose. Hailey extendió la mano hacia Sombra, pero el caballo se encabritó y retrocedió.

—Qué raro —dijo Jack.

—No me digas —respondió cortante Hailey. Parecía a punto de echarse a llorar—. Copo de Nieve no me quiere y Sombra tampoco. Olvídenlo, me quedaré en casa.

—No, buscaremos la manera —dijo Jack—. Quizás sea el pesticida que acabas de echar en el jardín. Puede que huelas a químicos. Déjame sujetar a Sombra.

Jack agarró las riendas del caballo y lo acarició en el cuello mientras le hablaba bajito. Después de un rato, Sombra se quedó quieto, pero cuando Hailey se acercó nuevamente, el caballo apartó la cabeza e intentó alejarse.

—Me lavé las manos —dijo Hailey secándose las lágrimas—. Pero aún huele. Si eso es lo que les molesta, no sé cómo quitármelo.

Jack y Hailey siguieron intentando calmar a los caballos, pero Copo de Nieve y Sombra no dejaban que Hailey se les acercara. Se movían inquietos y pateaban el suelo con los cascos. En cambio, Bibi se mantenía quieta como una roca, parecía estar de lo más aburrida. Casi esperaba que sacara una Nintendo DS o algo así para entretenerse un rato.

—Marisol, ¿puedes bajar? —dijo Jack al cabo de un rato.

—Oh —dije.

Sentada en el lomo de Bibi, me parecía estar a varios metros de altura. ¿Debía simplemente dejarme caer? Jack me tendió la mano para sujetarme y salté hacia abajo, aunque no con mucha elegancia.

—Hailey, tú monta a Bibi —dijo Jack—. Lo que sea que molesta a los demás, a ella no parece importarle. Marisol, tú puedes montar a Copo de Nieve.

—¡Oigan! —exclamé—. ¿Recuerdan que no sé montar?

Jack y Hailey me aseguraron que Copo de Nieve también era un caballo muy tranquilo. Hailey se limpió las lágrimas y Jack ató una rienda a las bridas de Copo de Nieve para guiarlo.

—Solo tienes que mantenerte encima —dijo con confianza.

No estaba segura, pero me subí. No me arrojó al suelo, así que supuse que estaba bien.

Cuando Hailey se acercó a Bibi, la yegua mostró más vitalidad de la que había visto hasta ahora, apartándose a un lado y moviéndose inquieta. Pero dejó que Hailey la montara y por fin pudimos salir.

Seguimos un sendero por el bosque, que parecía estar de fiesta con tantos sonidos: ramas que crujían,

ardillas correteando, ramas dobladas por el viento... Yo estaba un poco nerviosa. Tenía muy presente que aunque Hailey no fuera una mujer lobo (al menos según la prueba de la plata), en ese bosque sí había lobos normales. Y probablemente también hubiera osos y pumas. Me gustan los animales, pero en el centro de Austin no hay animales salvajes.

Cuando salimos del bosque y llegamos a un prado soleado, olvidé rápidamente mis preocupaciones. El prado era verde y agradable y había una enorme montaña con la cima nevada delante de nosotros. De la montaña brotaban tres cataratas. Era un hermoso espectáculo.

—¡Lindo! ¿verdad? —dijo Jack—. Y deja que veas lo que traje para el almuerzo.

Jack había traído sándwiches de queso de soja con "mostaza casera especial", ensalada de frijoles negros y *brownies* de postre. Todo estaba muy rico, aunque la mostaza fue lo mejor. Los *brownies* estaban un poco crudos, pero el sabor a chocolate era delicioso.

Estábamos muertos de hambre después del paseo, así que comimos y comimos. Después nos acostamos sobre una frazada, completamente llenos.

—Miren —dijo Hailey, señalando un pájaro que daba vueltas en círculos sobre nosotros—, un halcón de cola roja. Está buscando ratones.

Un poco apartados a la sombra, los caballos pateaban el suelo con sus cascos. Estaban inquietos y parecía que nos estaban mirando. O mejor dicho, estaban mirando a Hailey. La estrella de plata colgaba inocentemente de su cuello.

En ese momento pensé que quizás la manera de descubrir a un hombre lobo que me había dado Tasha era realmente buena. No podía dejar de pensar que había algo raro con Hailey y que los caballos lo sabían.

El halcón planeaba en círculos. Cerré los ojos. No iba a preocuparme más. Disfrutaría tomando el sol. Tenía el estómago lleno y, mientras el sol me calentaba, sentía cada vez más sueño.

Esta vez el sol brillaba. Mientras caminaba por el bosque, me reía de mí misma: no había nada que temer.

Luego oí un rumor y los crujidos de ramas partidas detrás de mí. Algo grande se abría paso entre los árboles, al lado del camino, fuera de mi vista.

Avanzaba rápidamente. Las ramas se movían, pero no conseguía ver qué era.

Un gruñido seco resonó en el aire.

De repente, sentí miedo y eché a correr.

Algo se acercaba y supe que, no importaba lo rápido que corriera, me alcanzaría.

Volví a oír el gruñido, esta vez más alto y más cerca.

Mi corazón retumbó con fuerza. Me temblaban las manos y sentí un nudo en el estómago.

Algo me perseguía y no sabía cómo escapar. Estaba absolutamente aterrorizada.

CAPÍTULO DIEZ

Se oyó de nuevo el gruñido y abrí los ojos de golpe.

Aún me retumbaba el corazón por el sueño.

A medida que me tranquilizaba, me di cuenta de que el gruñido era en realidad un trueno. Estaba aún acostada sobre la frazada, pero mientras dormía, el cielo soleado se había oscurecido y plagado de nubes grises. Me levanté y un viento frío me golpeó el rostro. Me froté los brazos para darme calor y oí a los caballos, que relinchaban y jalaban de sus riendas.

Jack y Hailey dormían junto a mí.

—Chicos, despierten —dije empujando a Hailey.

—Ay, ¿nos quedamos dormidos? —dijo ella, miró hacia arriba y frunció el ceño—. Se acerca una tormenta.

Jack también se había despertado y miraba el cielo con nerviosismo.

—Hace frío —dijo temblando—, será mejor que nos marchemos.

Nos pusimos de pie y empezamos a recoger las cosas del almuerzo a toda prisa.

—¿Por qué tanto apuro? —Me apresuré a guardar los restos de *brownies* en mi mochila—. ¿Por qué se asustan? Si llueve nos mojaremos, qué importa.

Hailey cerró su mochila y se la colgó a los hombros.

—Este cambio repentino significa que puede haber una tormenta de nieve. Tenemos que llegar rápido a casa —dijo con gravedad.

—¿Una tormenta de nieve? —dije—. Es septiembre, acabamos de tener un almuerzo campestre.

—Puede pasar —dijo Jack—. Será mejor que regresemos rápido.

Una gota helada me cayó sobre el rostro. En el extremo del prado, los caballos relinchaban nerviosos.

"No seré capaz de subirme", pensé mirando a Copo de Nieve. No sabía cómo hacerlo, pero ¿qué opción tenía? Jack me ayudó y, no sé cómo, logré sentarme en la silla del caballo. Tomé las riendas, y cuando estaba casi lista retumbó otro trueno, esta vez justo encima de nuestras cabezas. Copo de Nieve retrocedió para luego salir disparado a toda velocidad hacia el bosque.

Galopábamos en dirección a unas ramas bajas y me incliné sobre el cuello del caballo para protegerme la cara. Enrollé las riendas en mi brazo, me agarré con fuerza a la dura crin de Copo de Nieve e intenté apretar las piernas a sus costados.

Copo de Nieve galopaba y cada paso era tan fuerte que sentía que iba a salir volando. Una rama de pino me golpeó con fuerza en un costado y cerré los ojos. No podía agacharme más y tampoco quería ver con qué más iba a golpearme. Me concentré en no caerme del caballo.

Los truenos retumbaban sobre mi cabeza. Oí mis propios jadeos mientras la tormenta se desataba y la lluvia helada empezaba a empaparnos. Copo de Nieve se puso tenso y galopó más rápido todavía. De repente, pensé que el caballo perdería el equilibrio en este terreno irregular, caería en un agujero y moriría.

También pensé que debía dejarme caer antes de que eso ocurriera, pero cuando abrí los ojos íbamos tan rápido que me di cuenta de que, aunque me lanzara a propósito, me haría daño.

Me parecía que iba bien agarrada, pero me sujeté aun con más fuerza. Tenía la ropa empapada. Algo frío y afilado golpeaba mis brazos y mi cara. La lluvia se estaba convirtiendo en granizo.

Copo de Nieve tambaleó, pero recuperó el equilibrio y siguió galopando. De pronto, miré a un lado y me pareció ver algo gris y amarillo. En un instante, había desaparecido. ¿Sería una de las esquivas criaturas del Valle del Lobo? Quizás tan solo había sido un arbusto.

Atravesamos una red de finas ramas que crujieron con fuerza al romperse. De repente, estábamos en medio de un campo abierto.

Delante de nosotros había algo grande y oscuro, y sentí que Copo de Nieve comenzaba a frenar. Luego se detuvo y se quedó tranquilo.

Respiré profundo y empecé a llorar. Estábamos en casa. Copo de Nieve supo el camino de regreso.

No podía moverme. Me quedé sentada, temblando y llorando mientras el granizo me golpeaba. Copo de

Nieve movió la cabeza, como preguntándose por qué no entrábamos al establo.

Un momento después, Hailey y Jack llegaron galopando al prado. El granizo se había convertido en una nieve ligera.

—¡Marisol! —dijo Jack mientras detenía a Sombra y saltaba del caballo para acercase corriendo a mí—. ¿Estás bien?

Hailey también se acercó.

—Estaba tan preocupada por ti —dijo con voz temblorosa—. No sabíamos si serías capaz de mantenerte sobre el caballo.

Conseguí dejar de llorar, pero no podía decir una palabra porque empezaba a llorar otra vez, así que me limité a negar con la cabeza.

—Estás bien —dijo Jack con tono tranquilizador, y me dio la mano para ayudarme a bajar—. Con cuidado.

Apenas sentía los dedos, pero conseguí desanudar las riendas de mis manos y resbalar por el costado de Copo de Nieve.

—Lo siento —dijo Hailey abrazándome—. No debimos darte a Copo de Nieve.

—No sabían que habría tormenta —dije, secándome las lágrimas—. Estoy bien.

La puerta de la casa se abrió de golpe y mi mamá, Mike y Molly salieron corriendo con paraguas y toallas. Solté a Hailey y mi mamá me envolvió en una toalla, abrazándome con fuerza.

—Ay, Marisol —dijo—, estábamos tan preocupados cuando estalló la tormenta.

Detrás de nosotras venía Molly regañando a Jack y a Hailey por no volver antes a casa. Mike agarró las riendas de los caballos y los llevó al establo. Hailey se le acercó para ayudarlo, pero Copo de Nieve retrocedió y Hailey se detuvo.

"Los caballos aún le tienen miedo", pensé.

—Ahora ya está todo bien —dijo mi mamá mientras entrábamos. Pero yo no estaba tan segura.

CAPÍTULO ONCE

La nieve no duró mucho y tampoco mis preocupaciones (aunque tendría que pasar mucho tiempo antes de que me volviera a subir a un caballo). El lunes hacía sol y me sentía perfectamente. El domingo incluso había ido al establo a darle zanahorias a Copo de Nieve, solo para demostrarle que no le guardaba rencor.

—Todo el mundo se asusta alguna vez —le dije, acariciando su largo hocico—. Incluso yo.

Volví a pensar en Hailey. ¿Por qué le habrían tenido miedo los caballos? ¿Habría sido por el líquido con el que fumigó los rosales? ¿Habría funcionado la prueba de la plata de Tasha? ¿Qué había querido decir Molly cuando contó que su familia estaba involucrada en la historia de los hombres lobo del

Valle del Lobo? Y lo más importante, ¿adónde había ido Hailey la noche de luna llena? Intenté preguntarle de nuevo el domingo por la noche, pero me miró fijamente a los ojos y dijo que no sabía de qué hablaba.

El lunes decidí buscar a Anderson para pedirle información, pero no fue tan sencillo. Cuando le pregunté a Ámbar dónde estaba el casillero de Anderson, me miró durante unos segundos.

—¿Por qué? —dijo, y con expresión comprensiva, añadió—: Ah, ya entiendo.

—No es lo que estás pensando —insistí, pero ella se limitó a sonreír.

Caminé hasta el casillero de Anderson, y allí lo encontré.

—La bella Marisol —dijo sonriendo y tratando de parecer amable—. ¿Qué hay de nuevo, linda? —Se recostó en el casillero y abrió los brazos—. ¿Puedo hacer algo por ti? Mi casillero es tu casillero.

—Gracias —dije un poco apurada—. Bueno, quería que me contaras más cosas sobre los hombres lobo.

—¡Me creíste! —dijo, abriendo los ojos y sonriendo.

—No sé qué creer —dije lentamente—. Quería averiguar más.

Anderson se irguió y se puso serio. Se sentía halagado porque le había preguntado su opinión.

—Bueno, hay personas que se convierten en lobos cuando hay luna llena.

—Eso se sabe —dije, intentando ser paciente—. ¿Qué más?

Empezó a contarme lo mismo, sobre el vecino de su tatarabuela, los dedos anulares largos y las orejas puntiagudas. Y que siempre se habían oído historias sobre lobos en el Valle del Lobo, pero que no tenía ninguna prueba.

—A la gente le encantaría demostrarlo. Lily dice que estoy loco, pero aquí muchos creen que en los bosques hay hombres lobo.

—¿Oíste alguna vez algo sobre los hombres lobo y la plata?

—Bueno, la manera tradicional de matar a un hombre lobo es con una bala de plata. La plata es un metal que tiene que ver con la luna, así que quizás ese sea el motivo.

—¿Pero los hombres lobo pueden tocar la plata? —pregunté—. ¿No estallan en llamas o sienten un dolor terrible cuando la tocan?

—Nunca oí nada parecido. ¿Como los vampiros con los crucifijos?

—No —respondí negando con la cabeza—. ¿Sabes si hay manera de comprobar si alguien es un hombre lobo? A los vampiros no les gusta el ajo, las cruces, los espejos o la luz del sol. ¿Y a los hombres lobo?

Habría sido más fácil si hubiera sospechado que Hailey era un vampiro. Parecía haber muchas maneras de comprobar si alguien era un vampiro.

—No lo sé —dijo Anderson al cabo de unos segundos—. Creo que no hay nada así para los hombres lobo. Algunas culturas dicen que no pueden cruzar un río, pero eso se suele decir de todas las criaturas sobrenaturales. —Volvió a mirarme y añadió—: Un momento, ¿me estás preguntando todo esto por algún motivo? ¿Crees que conoces a un hombre lobo? ¿Sospechas de alguien?

—No, es pura curiosidad —dije, dando marcha atrás rápidamente—. Gracias, Anderson, tengo que volver a clase.

—En serio —dijo Anderson, siguiéndome—. ¿Es el Sr. Bonley? Porque siempre pensé que él podría ser. Es muy agresivo, ¿no te parece?

El Sr. Bonley era el profesor de educación física. Era muy peludo y exigente, pero no creo que fuera un hombre lobo.

—Ya te dije que no creo en los hombres lobo. Solo era curiosidad.

Me sentí frustrada. ¿Cómo podía haberme fiado de una obra de teatro de Tasha? ¡Un año ella y sus compañeros de campamento hicieron una versión de Romeo y Julieta en una nave espacial! ¡Y la mitad de los versos de Romeo los habían declamado a ritmo de rap! Definitivamente tenía que investigar más.

Observé a Hailey todo el día. No podía dejar de pensar en la posibilidad de que fuera una mujer lobo. Solo estábamos juntas en clase de matemáticas y, como siempre, parecía no prestar ninguna atención. Hacía garabatos en su cuaderno. Cuando el Sr. Swithin, el maestro, le hizo una pregunta, sentí lástima por ella.

—Hailey, ¿a qué equivale la *x* de este problema?

—Diecisiete —respondió sin levantar la cabeza, y la respuesta era correcta.

Vaya. Nunca había oído que un hombre lobo tuviera el poder de leer la mente o de saber cuándo te iba a preguntar el profesor, así que seguro que Hailey era simplemente muy lista.

Hailey se sentó otra vez a la hora del almuerzo conmigo, Ámbar, Bonnie y Lily, y me alegré de verla. Aunque me daba pánico la idea de que se podía convertir en un animal, había sido muy amable conmigo desde la excursión a caballo. Que fuera tan cariñosa me hacía sentir mal porque yo pensaba cosas raras de ella.

—¿Irán todas a la acampada? —preguntó Ámbar mientras cortaba su pastel de carne en ocho pedazos exactamente iguales—. Lily por supuesto irá.

—Bueno, yo tengo que ir —dijo Lily—. Y tú también, ¿verdad, Marisol? Eres nuestro miembro más reciente del club de astronomía.

—No me lo perdería por nada —dije con entusiasmo—. Me muero de ganas. Desde que llegué, no he usado mi telescopio.

—Por los lobos —asintió Bonnie.

—¿Lobos? —preguntó Hailey.

—Sí, ya sabes —dijo Bonnie, mirándola—, las noticias locales siempre dicen que no salgamos de noche porque hay una manada de lobos por aquí. Ya sabes, dan todas esas noticias sobre los peligros de los animales salvajes.

—Ah —Hailey miró su almuerzo—. Sí, pero realmente eso es muy injusto. Los lobos no son agresivos con las personas. ¿Sabes que se han reportado menos de treinta ataques de lobos durante los últimos cien años? Y solo en tres casos murieron las personas y fue por la rabia. En realidad tienes más probabilidades de ser atacado por un perro o un oso, incluso en zonas donde hay muchos lobos.

—Es verdad —dijo Lily tranquilamente—. Los lobos tienen una mala reputación que no se merecen.

—Bueno, pero ¿cuánta gente se encontró con un lobo y no fue atacada? —preguntó Ámbar.

—Generalmente los lobos no están tan cerca de la gente, así que nadie lo sabe. Y creo que es buena idea estar alejados de los animales salvajes —replicó Lily.

—De todas formas —dijo Bonnie, claramente aburrida de hablar de lobos—, yo sí iré a la acampada. Será lo más divertido de este otoño. ¿Tú vendrás, Hailey?

—No sé —dijo Hailey, y se sonrojó.

—Será muy divertido —dijo Bonnie—. Jack y Marisol vendrán. ¿No te quedarás sola en casa, verdad?

—Supongo que no —dijo Hailey con timidez.

—No podríamos ir sin Jack —dijo Bonnie.

Ella y Ámbar se miraron y se echaron a reír. Yo no había tardado mucho en darme cuenta de que a la mitad de las chicas de la escuela les gustaba Jack.

—Sí, claro —dijo Hailey sonriendo—. ¿Quién llevaría la comida?

—¿Para ti no es raro ser hermana de Jack? —preguntó Bonnie con curiosidad—. Quiero decir, él participa en montones de cosas. La escuela casi cerraría si no estuviera, y tú, sin embargo, eres más... callada.

Todas sabíamos que Bonnie no tenía la intención de ofender a Hailey, pero había sonado como "*Jack es una parte importante de esta escuela y tú no*".

Hailey frunció el ceño.

Entonces se tocó la estrella del colgante que llevaba al cuello. Suspiró y sonrió.

—No soy rara —dijo—. Jack es Jack y yo soy yo, y así está bien. Somos mellizos y también amigos, pero somos diferentes.

—Totalmente de acuerdo —dije—. Y Jack está aprendiendo a hacer pasteles, y Hailey y yo somos muy afortunadas.

Todas nos echamos a reír y el momento embarazoso pasó. Añadí otro motivo a mi lista de razones por las que me sentía culpable al pensar que Hailey pudiera ser una mujer lobo: ella estaba esforzándose por llevarse bien con la gente (aunque, como decía Jack, le gustaran más los animales). Y a mí me caía cada vez mejor.

CAPÍTULO DOCE

Conseguí dejar de pensar en Hailey durante la reunión del club de astronomía. La presentación era sobre planetas extrasolares y también hicimos muchos planes para la acampada. Lily anunció que Jack había prometido conseguir que el club de cocina hiciera comida extra, además de los perritos calientes, las hamburguesas y los malvaviscos que preparaban todos los años.

Pero en el autobús de regreso a casa, empecé a pensar en Hailey de nuevo. ¿La había visto alguna vez cruzando un río? No olvidaba su misteriosa desaparición la noche de luna llena, su cara manchada de lodo y la hoja que tenía en el pelo a la mañana siguiente. Tampoco pude evitar notar su manera de observar en silencio, cómo se ponía a la defensiva siempre que salía el tema de los lobos y lo nerviosos que se pusieron los caballos cuando ella se les acercó. Suponía que habría muchas explicaciones para cada cosa, pero todo era muy raro. Como científica, ¿qué otras pruebas podía realizar para estar segura?

Miraba por la ventana, pero no veía nada.

—¿Marisol? —dijo Lily mientras se sentaba a mi lado—. La tierra llamando a Marisol.

Por su tono supe que no era la primera vez que me llamaba.

—Lo siento —dije.

—¿Estás bien? —preguntó.

—Sí —respondí.

—Si te pasa algo, ya sabes que puedes decírmelo —dijo. Tenía la mirada seria y parecía preocupada—. ¿Extrañas tu casa?

—No es eso —dije.

Yo misma me sorprendí al darme cuenta de que no era nada de eso. Extrañaba a Tasha y a mis otras amigas, pero me gustaba el Valle del Lobo. Mi antigua vida parecía estar muy lejos.

Quería contarle a Lily todo. Era inteligente y muy realista, y de verdad necesitaba hablar con alguien.

—Escucha —dije titubeando.

Entonces me di cuenta de que no podía contárselo a nadie de la escuela, no sería justo. Solo me quedaría unos meses, pero Hailey vivía allí. Si empezaba rumores sobre ella y luego me marchaba, la dejaría atrapada en un torbellino de chismes hasta que saliera de la escuela.

—Te escucho pero no oigo nada —bromeó Lily después de un momento.

¿Cómo saber la opinión de Lily sin decir algo que no sonara estúpido o que no la dejara con dudas sobre Hailey?

—Hoy Hailey dijo cosas muy interesantes sobre los lobos, ¿no crees? —dije débilmente.

—Tiene razón —dijo Lily—. Las personas persiguen a los lobos de muchas maneras. En realidad son animales bastante pacíficos, teniendo en cuenta que son depredadores. Aunque no recomiendo tenerlos de mascota.

Al ver que yo no respondía nada, frunció el ceño.

—Marisol, no te estarás obsesionando con las ideas locas de Anderson, ¿verdad?

—¿Por qué dices eso?

—Anderson habla mucho y suele estar equivocado. El año pasado aseguraba que estábamos a punto de tener una invasión de zombis y se pasó la hora del almuerzo con un grupo de chicos organizando la manera de defendernos. Los lobos son interesantes, pero son animales, no existen los hombres lobo.

* * *

Las palabras de Lily resonaban en mi cabeza mientras regresaba a casa. "No existen los hombres lobo".

Cuando entré, sentí el aroma de la cena. La televisión estaba encendida en la sala y Molly me saludó desde la cocina. Todo era normal y acogedor, y me sentí un millón de veces mejor.

Revisé mi correo electrónico. Le había dicho a Tasha que la prueba de la plata había demostrado que Hailey no era una mujer lobo, pero no le comenté nada acerca de mis otras dudas. Su último mensaje estaba lleno de noticias sobre gente de mi ciudad, pero por algún motivo mi vida en Austin me parecía muy, muy lejana.

De camino a mi habitación pasé por la de Hailey, que tenía la puerta abierta. La luz estaba encendida, pero la habitación estaba vacía y las fotografías de animales parecieron mirarme cuando me asomé. Un lobo gris con los ojos amarillos muy abiertos y dientes afilados me impactó enseguida.

Salí corriendo, pasé de largo por delante de mi habitación y llamé a la puerta de mi mamá. Estaba sentada en el escritorio, trabajando en su computadora portátil.

—Hola, amor —dijo—. ¿Ya estás en casa? Este día pasó volando. Tengo mucho trabajo para sacar adelante la edición de noviembre, pero espero entregarlo a tiempo.

Se paró y se estiró. Tenía el pelo despeinado como si se hubiera pasado la mano por la cabeza todo el día.

—De todas maneras —dijo, sentándose en la cama y dando unos golpecitos a su lado—, estoy lista para tomar un descanso y hablar con mi niña. ¿Cómo te fue hoy?

—Bastante bien —dije, sentándome junto a ella—. El club de astronomía es chévere. Y tuvimos un examen de ciencias en el que creo que me fue bien.

La cama de la habitación de mi mamá era como un trineo, de madera curvada, y tenía una colcha amarilla de parches. Las paredes eran de color amarillo claro y había varias fotografías de caballos (Molly decía que las fotografías de caballos eran buenas para el negocio de los hostales). Era una habitación alegre. Tracé el cuadrado de uno de los parches de la colcha con el dedo.

—¿Te ocurre algo, Marisol? —preguntó mi mamá—. Pareces distraída.

No podía contárselo todo. Molly era una de sus mejores amigas y estábamos viviendo en su casa. Pero podía contarle una parte.

—Mamá, ¿oíste alguna vez lobos aullando ahí afuera?

—Hace unos días, pero no volví a escucharlos. No hay de qué preocuparse, cielo, los lobos se mantienen lejos de las personas.

—No me preocupan los lobos —dije—. No porque sean lobos. Hace unos días, cuando oíste el aullido, había luna llena, ¿verdad?

—Si tú lo dices —dijo con un gesto de curiosidad.

—Bueno, había un libro en mi habitación —dije con nerviosismo.

—¿El libro de los hombres lobo? —dijo riendo—. ¡Marisol! ¡Eso es ridículo! Las leyendas locales son buenas para el negocio de los hostales y los sitios de turismo. Molly puso esos libros en todas las habitaciones, igual que las guías. El libro es entretenido, pero no puedes tomarlo en serio.

—No es solo eso —dije—. Algunos chicos de la escuela dicen que hay hombres lobo. Un chico me contó que su tatarabuela conoció a un hombre lobo y dijo que salían en las noches de luna llena.

No podía decirle nada de Hailey, pero sí podía mencionar la siniestra sensación que había tenido estando frente a la casa.

—Y a veces tengo una sensación rara, como si alguien me estuviera observando.

—Escucha, mi cielo —dijo—, tú sabes que mi abuela era de México, ¿verdad?

—Sí —dije, preguntándome qué tenía que ver eso.

—Bueno, mi abuela, que Dios la tenga en la gloria, era una mujer amorosa, pero solía contarme historias que me aterrorizaban. Historias muy dramáticas y terroríficas del chupacabras, que es una especie de vampiro, y todo tipo de monstruos. Mi papá le prohibió que me contara estas historias porque empecé a no querer bajar sola al sótano, estaba convencida de que algo me atacaría. Pero yo le supliqué a mi abuela que me siguiera contando historias. ¿Sabes por qué?

—¿Por qué? —pregunté.

—Porque soy como todo el mundo. A todos nos encanta pasar miedo y hacer cuentos de terror. Y eso es todo lo que son esos hombres lobo de los que hablan: cuentos. Quizás te sientes un poco vulnerable y nerviosa porque aún te estás adaptando a un nuevo lugar.

Me recosté sobre ella y sentí que tenía razón. Era verdad que aún me estaba acostumbrando a vivir aquí, pero mi preocupación de que Hailey fuera una mujer lobo estaba respaldada por pruebas. Bueno, más o menos. No me parecía que mis pruebas sirvieran para convencer a mi mamá.

—¿No crees que tengo razón? —me dijo acariciándome el pelo—. No quiero que te sigas preocupando.

—Sí —mentí, y le sonreí.

¿La verdad? La verdad es que no me sentía nada mejor.

CAPÍTULO TRECE

La semana siguiente transcurrió con las cosas normales de todas las escuelas: tareas, deportes, exámenes, almuerzos. Y luego llegó la semana de la acampada. Partíamos el viernes después de la escuela, y había mucho que hacer. En casa, Jack nos había pedido a Hailey y a mí que fuéramos sus ayudantes de cocina (Hailey había decidido venir, ¡estupendo!) y en la escuela, Lily quería que revisara con ella el millón de detalles de la organización del viaje.

Así fue la semana.

Lunes. Durante el almuerzo, me encontré con Lily en la clase de ciencias para ayudarla a repasar la organización del viaje. Tenía cheques de todos los estudiantes que iban, anotaciones con las provisiones, reservas y números de emergencia. Revisaba todo con tanta intensidad que su cabello, siempre impecable, ahora estaba alborotado, dándole un aire salvaje.

—Tiendas de campaña —insistía—, y sacos de dormir. Los maestros llevarán a casi todos los chicos en el autobús, y algunos padres irán en camionetas para llevar las provisiones y a sus hijos. Tenemos que recordarles a todos que lleven abrigo.

—Desde luego —dije. Durante el día aún se podía llevar una chaqueta ligera, pero por la noche empezaba a refrescar—. ¿Tú tienes que planificarlo todo? ¿Y qué pasa con el Sr. Samuels?

—Él revisará lo que yo haga, pero quiero que todo esté bien —dio unos golpecitos en la mesa con el lápiz y continuó—. Agua, papel higiénico. ¿Cuánta agua necesitan treinta personas para dos días?

—Espera —dije alarmada—, pensé que habría duchas y baños y una tienda. ¿No es un lugar de acampada donde vamos?

—Claro —dijo Lily—, pero no habrá esas instalaciones en octubre. Después del verano la acampada es de verdad. Todo está cerrado. Solo hay letrinas.

No sabía bien qué eran letrinas, pero me lo podía imaginar. ¡Uff!

Lily se levantó de un salto.

—¡No! —dijo—. ¡No me mires así! ¡Será maravilloso!

—¿Maravilloso? —dije.

—Totalmente —dijo, abriendo los brazos y sonriéndome feliz—. Imagínate. Una noche estrellada, la hoguera, el olor de madera quemada flotando en el aire, los movimientos silenciosos de pequeños animales y nosotras rodeadas por el universo.

—Vaya —dije—. No lo pensé hasta ahora.

No había creído que Lily fuera de esas personas que se ponen poéticas por una excursión al aire libre. Siempre me había parecido muy práctica.

—En cualquier caso —dijo—, solo quiero que todo el mundo lo pase bien.

—Y así será —dije con firmeza.

"Son solo dos noches —pensé—. ¿Quién necesita agua corriente?"

—Miraré en internet para calcular cuánta agua necesita una persona al día —me ofrecí—. Será facilísimo.

Martes.

—Prueba esto —me pidió Jack.

Olía a frutos secos tostados. Hailey levantó la cabeza, marcando con el dedo la página del libro que estaba leyendo.

—Jack —dijo—, tenemos un examen de matemáticas mañana. No tengo tiempo de probar.

—Pruébalo —insistió Jack, y le acercó una cucharada llena de lo que parecían ser nueces y otros frutos secos.

—No está mal —dijo Hailey después de probarlos—. Me gusta la miel.

—¿Qué es? —pregunté.

—Mi granola especial —dijo Jack con orgullo—. Me estoy preparando para la acampada. ¡Prueba!

Probé y estaba rica. Blanda y dulce.

—¿No sería más sencillo llevar cajas de cereal? —pregunté.

—¡Los cereales de caja son horribles! —dijo Jack, y entonces me mostró los dientes y ¡rugió! Por un momento puso una una mueca horrible.

—Estás loco —dijo Hailey afectuosamente.

Luego se volvió a mirarme.

—¿Marisol? —preguntó con tono preocupado—. Pareces asustada. ¿Estás bien?

—Claro —dije, y se me vino a la mente una pregunta: si Hailey era una mujer lobo, ¿qué pasaba con Jack?

El libro de los hombres lobo decía que se sospechaba que había familias enteras de hombres lobo que habían desaparecido juntas. Se pensaba que se fueron a vivir al bosque. ¿Sería posible que, de ser Hailey una mujer lobo, el resto de su familia también lo fuera?

Era difícil imaginarse a Molly y a Mike como hombres lobo. Además, la noche que hubo luna llena estuvieron despiertos hasta tarde, como seres humanos. Así que tenían que ser humanos. También supuse que mi mamá hubiera notado algo durante los cuatro años que convivieron en la universidad. Pero Molly dijo que su familia fue una de las expulsadas del pueblo por ser hombres lobo, ¿cierto?

No, era una idea ridícula. Aun así... Recordé a mi amiga Olivia de Austin. Sus padres tenían el pelo castaño oscuro y los ojos café, pero Olivia era rubia de ojos verdes. A veces la gente preguntaba si era adoptada, pero no lo era. Había heredado esas características de su abuela. ¿Acaso sería un gen recesivo que había saltado a Molly?

—¿Marisol? —preguntó Hailey de nuevo.

Tanto ella como Jack me miraban fijamente, y yo les sonreí sutilmente.

—Estoy bien —dije, procurando parecer animada.

De repente me alegró saber que regresaríamos de la acampada antes de que hubiera otra luna llena.

Miércoles. Después de la escuela me quedé tarde en la biblioteca.

—¿Puedo ayudarte a conectarte? —preguntó la bibliotecaria cuando me senté frente a una computadora.

—No, gracias —dije—. Sé hacerlo.

No quería que nadie viera lo que iba a buscar.

Cuando se fue y estuve segura de que nadie me miraba, escribí "genética hombres lobo" en el buscador de internet. No salió nada interesante.

Escribí "convertirse en hombre lobo" y entré en los enlaces que parecían tener mejor información. Uno era claramente parte de un juego, otros dos eran críticas de cine, pero el último era exactamente lo que buscaba.

"Maneras de convertirse en hombre lobo", decía, y detallaba varias leyendas que explicaban el proceso, que para mi sorpresa no consistía solamente en ser mordido por un lobo. Si una persona deseaba convertirse en hombre lobo, podía beber el agua estancada en la huella de un lobo (asco), comer el cerebro de un lobo (doble asco), hacer una poción especial para untarte (raro) o ponerte una flor especial (poco convincente). También podías convertirte en hombre lobo si te mordía uno o por una maldición familiar.

Sonreí al imaginarme a Jack y Hailey preparando una poción mágica en lugar de la granola especial de Jack. Pero la maldición familiar encajaba con que Molly descendiera de una de las familias originales del Valle del Lobo. La página también confirmó mi idea de que ser un hombre lobo puede ser un gen recesivo. Decía: *Aunque nazcas en una familia de hombres lobo, solo algunos de los hijos heredan el gen, y puede saltar muchas generaciones hasta reaparecer inesperadamente.*

Así que Jack y Hailey podían ser hombres lobo aunque Molly no lo fuera. Ella podía ser portadora del gen y haberlo transmitido sin saberlo.

Jack tampoco tenía que ser un hombre lobo aunque Hailey lo fuera: después de todo, no eran gemelos. Tenían genes distintos. Debo admitir que aunque no quería que Hailey fuera una mujer lobo, lo

que más me importaba era que Jack no lo fuera. Me imaginé sus ojos azules tan amistosos, su amplia sonrisa... Era demasiado dulce para ser una criatura de la noche.

De todas formas pensé que debía vigilarlos a los dos.

* * *

Jueves. Hailey y yo ayudamos a Jack a guardar la comida en neveras portátiles y estuve tan ocupada preparando el viaje que apenas tuve tiempo de pensar en lobos o en hombres lobo.

Pero esa noche, tuve un sueño.

Estaba afuera de la casa, de noche. Todo estaba tranquilo. Oía los caballos resoplando en sus establos, las hojas crujiendo con la brisa suave. Hacía frío y las estrellas brillaban con intensidad. Entonces vi la constelación lupus (la del lobo) justo encima de mí.

No pasaba nada pero yo estaba aterrorizada. Sabía que venía y, de repente, allí estaba. Los sonidos habituales de la noche se detuvieron y se hizo un enorme silencio.

Sospeché que un lobo me miraba.

Me volteé buscando entre los árboles y arbustos alrededor de la casa, intentado encontrar el animal cuya mirada sentía con tanta intensidad: nada.

De repente, una ramita crujió y yo grité.

Me desperté con la boca seca por el terror y el corazón acelerado. El sueño había sido bastante tonto. No había pasado nada, excepto que una ramita había crujido, pero sentí tanto miedo porque en el sueño presentía la razón. El lobo venía y no había manera de escapar.

Viernes. El viernes parecía que nadie podía concentrarse. Cuando sonó el timbre al final del día, nos reunimos en el laboratorio de ciencias: veinticinco chicos, más nuestros acompañantes, los bolsos de viaje, las tiendas de campaña, las mochilas, las neveras portátiles con comida, el agua y los sacos de dormir.

Anderson prácticamente vibraba de emoción. Sacó un Frisbee de su mochila y lo lanzó. Alguien lo atrapó y enseguida voló por toda la sala.

—¡Haremos una fiesta en el bosque! —gritó Anderson.

Miré al Sr. Samuels, que estaba conversando con Lily sin prestarle atención a nada más. Pero Hailey me vio. Venía cargando una nevera portátil. Sobre la misma llevaba paquetes envueltos en papel de aluminio. Caminé entre los chicos y agarré algunos de los paquetes.

—Gracias —dijo.

—¿Qué traes aquí? —dije, señalando los paquetes con la cabeza.

—Comida, por supuesto —dijo—. Deberías ver lo que Jack dejó en la camioneta.

Miró alrededor de la clase, que ahora retumbaba por los gritos y un millón de conversaciones distintas. Alguien había sacado una pelota de tenis y la golpeaba contra una pared.

—¿Crees que saldremos pronto? —preguntó Hailey—. Esto pesa muchísimo.

"¡Una mujer lobo debería ser muy fuerte!", pensé. Un punto a favor de que Hailey fuera una persona normal. Traté de pensar en otra cosa. Con sueños o sin sueños, no me iba a obsesionar todo el fin de semana. Lo pasaría bien.

Lily se subió a una silla y silbó con fuerza. Alargó la mano y alcanzó el Frisbee. Luego se quedó mirando enfadada al chico de la pelota, hasta que este se dio cuenta y la guardó en su mochila.

—Muy bien —dijo—. ¡Vamos! —Todos gritaron de alegría y ella sonrió—. Presten atención para ver qué autobús les toca.

Todo el mundo se tranquilizó inmediatamente. La miré con admiración. Había logrado que un grupo de chicos alborotados hiciera lo que ella decía sin necesidad de gritarles.

Se asignaron los autobuses, recogimos las bolsas, las tiendas y todo lo demás... y por fin ¡salimos!

CAPÍTULO CATORCE

El campamento donde acamparíamos era muy lindo. Estaba junto a un lago y lo rodeaba una hilera de pinos.

Armamos las tiendas de campaña y guardamos la comida en las cajas de almacenamiento, unas cajas grandes de metal donde se guardaban las provisiones para protegerlas de los animales. Hailey, Lily, Bonnie y yo dormiríamos en la misma tienda. Había muy poco espacio: en realidad solo cabían cuatro personas acostadas. Entramos por turnos para sacar los sacos de domir y poner las mochilas. Cuando me tocó a mí, entré y toqué el piso de la tienda. Era duro y frío, incluso con la lona que tenía por debajo. Probablemente pasaría la noche dando vueltas sin acomodarme, muerta de frío. Estaba claro que, en el fondo, yo era una chica de la ciudad.

Ya empezaba a anochecer cuando las tiendas por fin estuvieron listas. Lily, otros chicos que habían traído telescopios y yo empezamos a ponerlos por todo el campamento. No observaríamos las estrellas hasta después de cenar, cuando estuviera realmente oscuro, pero queríamos dejarlos preparados para no tener que tocarlos mucho en plena oscuridad.

—¡Atención! —gritaron detrás de mí, y me agaché.

Anderson se tropezó conmigo y, un segundo después, su Frisbee chocó contra mi telescopio.

—¡Eh! —exclamé indignada.

Bonnie se acercó y recogió el Frisbee.

—Deberías tener más cuidado —dijo Bonnie sonriéndole a Anderson.

—Lo siento, chicas —dijo—. A veces no me puedo contener.

Puse los ojos en blanco y ajusté de nuevo el telescopio mientras Anderson se marchaba, pero Bonnie sonrió, pasándose la mano por sus rizos pelirrojos.

—¿No crees que es muy lindo? —susurró.

Me quedé pensando. En realidad no lucía mal, pero era tan nervioso y bromista que no me parecía lindo.

—La verdad, no. ¿A ti te parece?

—A mi sí —dijo, algo sonrojada—. Es divertido.

Los maestros hicieron una fogata y enseguida el aroma de perros calientes y hamburguesas inundó el campamento. Me acerqué a Lily, que leía su cuaderno.

—Me muero de hambre —gimió—. ¿No huele sabroso?

—No me gustan las hamburguesas —le recordé—, pero tengo hambre. ¿Se habrá acordado Jack de traer hamburguesas vegetarianas?

—Lo siento, ya lo había olvidado —dijo—, pero apuesto a que Jack se acordó.

—¿Qué quieres decir? —pregunté.

—Creo que le gustas —dijo—. Siempre te mira cuando no te das cuenta.

¿De veras? Era un pensamiento muy halagador, pero lo aparté de mi mente.

—A Jack le gusta todo el mundo —dije—. Solo es más agradable conmigo porque vivo en su casa y nuestras madres son muy buenas amigas.

—Bueno —bromeó Lily con tono divertido—, lo que tú digas.

—¿Pero le echaron algo al agua de este campamento? —pregunté—. Bonnie me acaba de decir que Anderson es lindo.

—¿De verdad? —dijo Lily—. La verdad que me los puedo imaginar juntos. Interesante elección. Pero hablemos de Jack...

—Psss —dije, y noté que me sonrojaba.

Jack caminaba hacia nosotras con un plato de comida. Lily se echó a reír.

—Hola —nos dijo—. Marisol, les pedí que les prepararan a Hailey y ti la comida primero para que no se mezclara con la grasa de la carne.

—Eres muy amable —dijo Lily, dándome una patadita.

—Gracias, Jack —dije.

—Por nada. El Sr. Samuels cocinó la hamburguesa, pero yo preparé para ustedes mi receta especial de ensalada de col y papa —dijo, y señaló el plato con la cabeza, animándome a probarla.

Agarré la cuchara y le sonreí.

—Ummmm, está muy rica —dije.

—Gracias —dijo con orgullo y miró a Lily—. La carne ya debe estar lista, ¡vamos!

Jack salió caminando y Lily se paró de un salto, casi corriendo tras él.

—Estoy hambrienta —dijo, haciéndome señas para que los siguiera.

Caminé despacio, mirando a mi alrededor. Todo el mundo tenía su plato de comida y se iban formando pequeños grupos en los que se conversaba bajito.

Me senté junto a Hailey.

—¿No te gusta el olor a leña? —dijo—. Me encantan las hogueras de los campamentos.

—A mí también —dije.

Más allá del círculo de luz que emitía la hoguera, el bosque que nos rodeaba estaba en completa oscuridad. La luz parpadeaba sobre los rostros de todo el mundo y las estrellas brillaban sobre nuestras cabezas. Mientras algunos comían, otros se alejaron del fuego para jugar a perseguirse guiados por la luz de sus linternas.

—No se adentren en el bosque —dijo el Sr. Samuels—. No queremos que nadie se pierda. Recuerden que hay animales salvajes. Pongan los restos de comida y la basura en las bolsas negras de plástico. Es necesario que todo quede bien guardado para que no vengan los osos.

—Ni los lobos, ni los pumas, ni los coyotes —añadió el Sr. Abrams, otro de los maestros que nos acompañaba.

—Qué horror —dije, y me estremecí. No quería pensar en animales salvajes vagando junto a nuestras tiendas.

—No te preocupes —dijo Hailey—. No creo que veamos ningún animal salvaje, somos un grupo muy ruidoso.

—Es hora de observar las estrellas —dijo Lily, y todo el mundo terminó de comer.

Corrí hasta mi telescopio. Bonnie, Ámbar, Hailey y Jack vinieron conmigo, y les mostré Venus, Júpiter y Marte. También pudimos ver los anillos de Saturno.

—Es impresionante —dijo Jack.

—¿Y la Luna? —dijo Bonnie—. Observemos la Luna.

Enfoqué el telescopio a la Luna y señalé los cráteres. Estaba amarilla y casi llena.

—Hay una especie de anillo alrededor de la Luna —dijo Hailey—. ¿Qué es?

—Es su luz, que se refracta sobre los cristales de hielo de su atmósfera superior —expliqué—. Es como un arco iris, pero de la Luna.

—Vaya —dijo Hailey.

La miré y vi que sonreía.

Cuando todos habían mirado por los telescopios, Lily nos llamó de nuevo para sentarnos junto al fuego a comer el postre y contar historias. Mientras caminaba, Jack me agarró del brazo y nos quedamos atrás.

—¿Puedo hablar contigo aunque sea un momento? —preguntó.

Sentí mariposas en el estómago. Aunque había dicho que solo éramos amigos, Jack era muy guapo. ¿Sería verdad que le gustaba?

—Claro —dije.

—Hasta ahora nunca había conseguido que Hailey viniera a una de estas excursiones —dijo—. Es tímida y el año pasado la gente se reía de ella porque le interesaban más los animales que la gente —dudó por un momento—. Es estupendo que lograras que viniera.

—Bueno —dije, encogiéndome de hombros—. Hailey me cae bien.

—Lo sé. Es encantadora. —Sonrió—. Tú también lo eres —dijo, y me apretó el brazo.

Sentí que me sonrojaba. Nos quedamos callados un momento.

—Bueno —dijo—, ven a probar uno de mis *brownies* especiales de frambuesa antes de que se los coman.

Nos sentamos alrededor del fuego. Lily señaló algunas constelaciones y habló de la mitología griega, de donde procedían sus nombres.

Jack estaba a mi lado y me recosté un poco sobre él mientras comía el *brownie*. Sentí su brazo cálido y fuerte y no pude evitar mirarlo de reojo. Él también me miró y sonrió, y sentí que mi interior se agitaba lleno de felicidad y nerviosismo. El fuego crepitaba. El *brownie* estaba delicioso. La vida era maravillosa.

Cuando terminó de hablar Lily, se paró Becka, del club de astronomía.

—Bueno —dijo desenredando su cabello negro con los dedos—, esta es una historia verdadera que me contó mi hermano. Les pasó a unos chicos que él conoce cuando tenían nuestra edad, en este mismo campamento.

»Estos tres chicos eran muy amigos y convencieron a sus padres para que los dejaran irse solos de acampada. Lo pasaron muy bien pescando, dando caminatas y cocinando en una hoguera, pero cuando se hizo de noche escucharon ruidos raros en el bosque. Oyeron ramas y hojas que crujían. Parecía que algo grande se abría camino por el bosque, acercándose cada vez más. Entonces, empezaron a oír un terrible gruñido, algo como "juu-juu-juuuuuu".

»Uno de los niños se asustó mucho y quería llamar a sus papás para que vinieran a recogerlo, pero sus amigos se echaron a reír y dijeron que los sonidos probablemente eran de un búho o algo así. El chico se enfadó y se fue a dormir. Estaba casi dormido cuando oyó gritos y ruidos, así que salió corriendo de la tienda. Pero solo eran sus amigos que estaban gritando y golpeando una cacerola con cucharas para asustarlo. Así que volvió a la tienda y la cerró.

»Un poco más tarde, estaba casi dormido cuando oyó a sus amigos gritar y aullar otra vez, esta vez incluso empujaban la tienda. Desde luego, no quería que lo volvieran a engañar, así que puso la cabeza bajo la almohada y se quedó dormido.

»A la mañana siguiente cuando se despertó, estaba solo. Sus amigos no estaban en el campamento, pero toda la tierra alrededor de la tienda estaba arrasada, como si algo con enormes garras hubiera estado cavando. Cuando se fijó en la tienda, vio que la tela había sido rasgada por grandes pezuñas.

Becka se acercó y siguió contando en voz muy baja.

—Nunca encontraron a sus amigos. Los guardias forestales buscaron por todo el bosque, pero no encontraron nada excepto retazos de la camisa de uno de los chicos. Un año más tarde, el chico que sobrevivió volvió al lugar de la acampada. Se adentró en el bosque y vio algo terrible.

Becka se detuvo un momento y nos miró a todos. Yo me incliné hacia delante para escuchar.

—En la oscuridad de la noche, vio... ¡BUUUU! —gritó de repente con todas sus fuerzas y todos saltamos.

—Lo siento —dije tímidamente al darme cuenta de que agarraba con fuerza el brazo de Jack—. ¡Me asusté!

—Yo te protegeré —dijo Jack con tono irónico, dándome una palmadita en el hombro.

Todo el mundo reía. Era una historia chistosa, un cuento de miedo para asustarnos.

Pero alcé la mirada para ver la Luna, tan cerca y tan llena, y un escalofrío me recorrió a pesar del calor del fuego.

CAPÍTULO QUINCE

Era tarde cuando Lily, Bonnie, Hailey y yo entramos en nuestra tienda, y caí rendida al instante.

Un rato después abrí los ojos en la oscuridad y me pareció que era mucho más tarde. Estaba completamente despierta y se oían resoplidos y arañazos contra la tienda de campaña.

—Chicas —susurré. Nadie respondió. Algo rozó la tela sobre mi cabeza y pensé en lo fina que era la tienda de campaña—. Chicas —repetí con ansiedad, esta vez sin susurrar. Agité a Bonnie, que estaba a mi lado.

—Ummm —masculló—. ¿Qué pasa? ¡Es de noche!

—Entonces, ¿por qué hablas? —dijo Lily soñolienta—. Cállate.

—Escuchen, hay algo afuera de la tienda —dije, y me callé para que las chicas escucharan.

—No hay nada —dijo Bonnie con tono enfadado—. Tienes miedo por culpa del estúpido cuento de Becka...

Se oyó un horrible gruñido y todas gritamos.

—¿Qué fue eso? —dijo Bonnie.

—Chicas —dijo Lily de repente—, Hailey no está aquí.

Se me paralizó el cuerpo. Por un momento me costó respirar. Toqué el lugar donde le tocaba dormir a Hailey y noté su saco vacío. Afuera se escuchó de nuevo el resoplido y un sonido metálico.

"¿Hailey? Pero si aún no hay luna llena", pensé.

El resto del campamento se fue despertando poco a poco.

—¿Qué fue eso? —dijo una voz, y oí a un chico hacer ruidos de fantasma, algo como "Uuuu-uuu".

—¿Es un oso? —gritó otra voz.

—Voy a mirar —dijo Lily con valentía mientras prendía su linterna.

—¡Cielos! —dijo Bonnie—. Si te comen, ¿puedo quedarme con tus lindas botas negras?

Lily le hizo un gesto y abrió la tienda. Salió y, después de dudar un momento, yo la seguí. Bonnie vino detrás de mí, vacilando nerviosamente en la entrada de la tienda.

El haz de luz de la linterna de Lily recorrió el campamento. Todo parecía normal. El sonido metálico se oyó de nuevo y Lily dirigió la luz a la parte de atrás de nuestra tienda.

—¡Ay! —dijo.

Estiré el cuello para mirar por detrás de ella y vi a un mapache con la cabeza metida en una bandeja de aluminio. Lamía con energía mientras sujetaba la bandeja con sus pequeñas pezuñas.

El Sr. Samuels salió de su tienda en el otro extremo del campamento con una cazuela en una mano y una cuchara en la otra. Se paró, se quedó mirando al mapache y entonces empezó a golpear con fuerza la cazuela y a gritar: "¡Aaaaaaah! ¡Fuera! ¡Fuera!".

El mapache sacó la cabeza de la bandeja y miró ofendido al Sr. Samuels. Luego se dio la vuelta y salió caminando, sin prisa, hacia el bosque.

Todo el mundo salió de sus tiendas riendo, hablando y tratando de saber qué había pasado.

—¿Quién dejó esa comida fuera? —preguntó el Sr. Samuels.

Todos miraron para otro lado, evitando enfrentarse a la mirada enfadada del maestro. Entonces, Jack levantó la mano lentamente.

—Creo que fui yo —dijo—. Parece que es la bandeja en la que estaban los *brownies*. Lo siento mucho.

—La próxima vez, recuerden —dijo el Sr. Samuels enfadado—. Si hubiera sido un oso nos habríamos metido en un buen lío. Ahora, todo el mundo a dormir.

Jack asintió, avergonzado, y todos entraron en sus tiendas. Yo miraba por todas partes.

—¿Dónde está Hailey? —le susurré a Bonnie y a Lily, que parecía tan preocupada como yo.

Entonces oímos una voz detrás de nosotras.

—¿Qué pasó?

Me giré y vi a Hailey con aspecto alegre y relajado.

—¿Por qué todos se despertaron? —preguntó inocentemente.

—¿Dónde estabas? —pregunté enfadada.

—Tenía que ir al baño —dijo encogiéndose de hombros—. ¿Qué pasó?

—Un mapache. Vamos a dormir —dijo Lily, y desapareció dentro de la tienda.

—¿Me perdí un mapache? —dijo Hailey haciendo un puchero—. ¡Me encantan los mapaches, son tan lindos!

—Todo el mundo se asustó —dijo Lily—. Buenas noches.

Antes de volver a dormirme, pensé:

“¿Ves? Todo tiene una explicación perfectamente lógica”.

CAPÍTULO DIECISÉIS

A la mañana siguiente, todo parecía más brillante de lo normal. Bostecé y me froté los ojos.

—Es muy temprano —dije intentando estirarme—. No sé qué hora es, pero sé que es muy temprano y que hace frío. Mucho, mucho frío.

Cuando me senté y una parte de mi cuerpo salió del saco de dormir calentito, sentí que entraba en un congelador gigante.

—¡Arriba, vamos! —dijo Lily alegremente—. Hace un día precioso.

Ya estaba vestida y se cepillaba el pelo.

Bonnie bostezó, acurrucándose más dentro del saco, pero Lily continuó:

—Tengo algo para tentarlas y que salgan de sus sacos —dijo buscando en su mochila hasta que encontró un mapa—. ¡Hoy haremos una caminata!

—Si crees que hacer ejercicio conseguirá sacarme de este saco de dormir, claramente no me conoces —dijo Bonnie con sequedad.

Lily puso cara de desesperación, pero extendió el mapa con cuidado.

—Miren, hay un montón de senderos cerca de nosotros. La guía dice que el mejor para ir en grupo es el que va a las Cataratas del Águila, el otro, el más difícil, va hasta Vista Panorámica, que es un poco más difícil.

—Umm —dijo Hailey, arrodillándose junto a Lily—. ¿Qué te parece, Marisol?

Me arrastré fuera del saco de dormir y me estremecí al sentir el aire frío en todo mi cuerpo. Había dormido con ropa deportiva, pero aun así estaba congelada. No quería imaginarme si hubiera dormido en pijama. Me incliné para mirar el mapa de Lily.

El sendero a Vista Panorámica suponía un camino más empinado y, a juzgar por el nombre, seguramente llevaba a un lugar con una vista increíble. El sendero a las Cataratas del Águila era mucho más corto. Me

gustan las cataratas; pero también me gusta caminar por la montaña. ¿Por qué no escoger el sendero largo? Estaba a punto de decirlo cuando me di cuenta de que el sendero que llevaba a las Cataratas del Águila estaba cruzado por varias líneas azules que significaban agua, arroyos o ríos.

Miré a Hailey. Probablemente elegiría el mismo sendero que yo. La plata no le había molestado, pero no era una prueba contundente. Por otro lado, Anderson y Tasha habían hablado de las balas de plata, pero desde luego que yo no iba a dispararle. Si podía cruzar un arroyo, ¿probaría algo?

No del todo. Algo tan vago como... ¿qué había dicho Anderson? "Algunas culturas dicen que un hombre lobo no puede cruzar un río". No era muy convincente, pero si Hailey no podía cruzar un río o si ponía una excusa para no cruzarlo, entonces tendría un buen indicio de que sí era una mujer lobo. El experimento merecía la pena.

—Creo que prefiero el de las Cataratas del Águila —dije con firmeza, mirando a Hailey.

—¡Listo! —dijo—. Yo también.

—Vaya —dijo Lily—. Pensé que elegirías el sendero difícil, como yo, pero me equivoqué. ¿Y tú, Bonnie?

—¿Estás bromeando? O elijo el camino fácil o me quedo en el campamento pintándome las uñas.

—Muy bien —dijo Lily—. Estoy segura de que Ámbar y Becka querrán venir conmigo.

—¡Ámbar hará la caminata corriendo! —dijo Bonnie riendo.

* * *

Después del desayuno, Ámbar y Becka decidieron hacer el sendero hasta Vista Panorámica junto con Lily, otros chicos de la clase y uno de los maestros. Jack, Anderson, un grupo de chicos, el Sr. Samuels y otro de los maestros vendrían con nosotros por el sendero hasta las Cataratas del Águila.

“Bien —pensé—. Así podré comprobar si Jack también puede cruzar un río”.

Durante el desayuno dejó de hacer tanto frío. Era un día precioso. El aire era fresco y puro. La nieve en las cumbres de las montañas y el olor de los pinos me recordó la Navidad. Entonces me di cuenta de que en varias semanas, cuando llegara la Navidad, tendría que regresar a Austin. Por primera vez me sentí triste al pensar que dejaría a mis nuevos amigos para volver a casa.

—Miren —dijo Jack, señalando al cielo.

Por encima de nuestras cabezas volaba en círculo un enorme pájaro que buscaba a su presa.

—¿Es un halcón? —pregunté dudosa.

—Es un águila dorada —respondió Jack—. Hay casi trescientas especies de aves en el parque y octubre todavía es una época muy buena para verlas.

—También a otros animales —añadió Hailey—. Mira, hay huellas de zorro al lado del camino, y si miras las montañas, quizás veas cabras.

Miré las cumbres, esperando ver cabras blancas, pero no vi nada. Sobre nuestras cabezas oía a las ardillas chillando en los árboles. Hailey me tocó el brazo y señaló una liebre blanca enorme que se alejaba del camino saltando, aunque no parecía especialmente asustada.

Se oía el sonido del agua cerca de nosotros y, al dar la vuelta a una curva, vi un puente rústico de madera que cruzaba un río. ¡Un río!

Me quedé un poco rezagada para ver a Hailey cruzarlo. Jack se nos adelantó, pero Hailey se quedó atrás.

—¿Qué ocurre? —dijo—. ¿Quieres tomar una foto?

—Sí, claro —dije.

Saqué la cámara del bolsillo de mi chaqueta y tomé una foto del puente y de la montaña que se elevaba por detrás.

Hailey se quedó parada a mi lado. La miré con el rabillo del ojo, intentando adivinar si se estaba preparando para cruzar el puente.

—¿Vienes? —preguntó un poco impaciente.

—Claro —dije y empecé a caminar.

No pasó nada mientras cruzábamos el puente hasta que casi estábamos del otro lado. De repente, Hailey se resbaló y cayó.

—¡Hailey! —exclamé—. ¿Estás bien?

Hailey estaba sentada, no se movía. Miré hacia el sendero por si alguien nos había escuchado, pero nadie se había dado cuenta.

—¡Hailey! —repetí.

—¡Qué torpe! —por fin respondió mientras se paraba—. Aquí la madera está mojada.

—¿Estás herida? —pregunté.

Ella negó con la cabeza.

Terminamos de cruzar el puente mientras mi mente daba vueltas y más vueltas. ¿Se había caído a causa del río o había resbalado? Había cruzado un puente, ¿pero eso significaba cruzar un río? Quizás no podía atravesar un río, pero cruzar un puente, aunque le resultara difícil, no le era imposible.

Me estaba volviendo loca. Ni siquiera este "no poder cruzar agua" era definitivo. Suspiré.

A la vuelta de una curva, aparecieron las cataratas. Eran increíbles, brotando a gran altura entre las rocas. En realidad vi que eran dos cataratas: un estrecho hilo de agua que se encontraba con otro salto mayor.

—En verano, cuando hay más caudal de agua, las cataratas superiores tienen tanta agua que tapan las de abajo —dijo Hailey—. Hay gente que las llama las Cataratas Tramposas, en lugar de las Cataratas del Águila.

Cataratas Tramposas. Pensé en la catarata que se escondía durante todo el verano bajo otra caída de agua más poderosa. ¿Era Hailey también así? ¿Esta chica que compartía su casa conmigo, que montaba a caballo y bromeaba con su hermano, la Hailey de verdad, también escondería algo? ¿La luna llena sacaba a la luz el secreto de Hailey, de la misma manera que el invierno dejaba ver la catarata escondida?

La miré de reojo mientras ella contemplaba en silencio las cataratas. No sabía si alguna vez descubriría la verdad sobre mi nueva amiga.

CAPÍTULO DIECISIETE

Después de la caminata, pasé el resto del día con Hailey, Jack y mis otras amigas. Hicimos actividades superdivertidas: primero fue la búsqueda del tesoro, luego una cena, cantar canciones y hacer más malvaviscos en la hoguera del campamento. Lo estaba pasando tan bien que fue fácil borrar de mi mente las preocupaciones sobre hombres lobo.

Pero cuando estábamos en la tienda otra vez, acostadas en nuestros sacos de dormir, empecé a obsesionarme de nuevo. No me parecía que Hailey fuera a morderme ni a convertirse de repente en un lobo, pero ¿por qué no podía sacarme esta historia de la cabeza? Me sentía como una niña pequeña acostada en la cama que le tiene miedo a los monstruos en la oscuridad.

Tardé bastante en quedarme dormida, pero cuando por fin lo conseguí, tuve un sueño muy raro. En mi mente pasaban imágenes rápidas: ramas de árboles que parecían las manos de un esqueleto recortadas contra la luna llena. El soplido del viento empujando las hojas secas; un resplandor de dientes blancos. No dormí bien.

Por la mañana, me sentí desorientada y ansiosa.

Bonnie me dio un codazo durante el desayuno.

—¿Estás bien?

—Ummm —dije tomando una cucharada de granola.

Hailey estaba en el extremo del claro del bosque hablando con Jack.

—Solo estoy un poco distraída.

Bonnie se dio cuenta de que estaba mirando a Hailey y Jack.

—Ya veo —dijo echándose a reír.

Después del almuerzo, llegó la hora de partir. En el autobús me senté entre Lily y Hailey. Bonnie se volteó hacia nosotras.

—A Marisol le gusta Jack, pero no quiere admitirlo.

Sentí que me sonrojaba. Lily miró fríamente a Bonnie y se encogió de hombros.

—A todo el mundo le gusta Jack, ¿verdad, Hailey? —dijo Lily.

—Mi hermano es muy agradable —dijo Hailey sin inmutarse.

Bonnie resopló y puso cara de desesperación.

—Ya saben lo que quiero decir.

—Pónganse los cinturones, chicos, y miren hacia delante —dijo el maestro que conduciría el autobús.

Bonnie se dio la vuelta y se acomodó el pelo.

—¿Entonces? —me susurró Lily—. ¿Te gusta?

Hailey me miró y levantó las cejas.

—No sé —murmuré—. Quiero decir, claro, como dicen... a todo el mundo le gusta Jack. ¿A quién no le gusta?

—Cierto —dijo Lily—. Y creo que tú también le gustas a él.

—Es mi amigo —respondí—. No sé si me gusta, pero es mi amigo.

Esta vez, tanto Lily como Hailey asintieron.

—Los amigos son algo maravilloso —dijo Lily, y sonrió.

—A él claro que le gustas —dijo Hailey—. Estaba diciendo que eras chévere.

—Ah —dije sonrojándome—. Qué bien.

Hailey me sonrió y luego miró por la ventana.

Nos quedamos calladas un momento. Las voces de otros chicos y la música de la radio crearon una atmósfera agradable. A mi lado, Hailey y Lily se relajaron, y vi a Hailey parpadear hasta que se durmió.

Su pelo y su ropa olían a humo y pino. Hailey me caía bien. ¿No podía olvidarme de todo ese otro asunto? ¿No podía decidir de una vez por todas que no existían los hombres lobo y olvidar mis sospechas?

Por algún motivo, estaba segura de que Jack no era un hombre lobo: los caballos no le habían tenido miedo, no había tenido ningún problema al cruzar el río y tampoco tenía ninguna prueba de que hubiera estado afuera de la casa la noche de la luna llena. Solo había sospechado porque era mellizo de Hailey. Y yo me enorgullecía de ser científica: sabía que los mellizos no comparten todos los genes.

Pero no podía olvidar mis sospechas sobre Hailey. ¿Y si era una mujer lobo? ¿Qué podía hacer? Me vino a la mente la idea de contar su secreto, de gente con fusiles y perros que la perseguían o médicos y científicos intentando descifrar quién era esta chica, y me estremecí.

"No", pensé, enderezándome en el asiento. Nunca podría hacerle algo así a ella ni a nadie, pero menos todavía a la tímida Hailey de gran corazón que soñaba con ver focas salvajes. Nunca. Aunque hubiera algo diferente en ella, estaba segura de que no era ningún monstruo.

¿No podría olvidarme de todo?

Lo haría. Me olvidaría de esta absurda idea.

Mañana por la noche habría luna llena.

Pero eso no significaba nada. Me olvidaría de la luna y de los aullidos de los lobos y me convencería a mí misma de que Hailey era una niña normal.

CAPÍTULO DIECIOCHO

Al día siguiente amanecí muy nerviosa. Cuando sonó el despertador, llevaba una hora despierta en la cama, mirando al techo y procurando respirar lentamente. Era noche de luna llena.

Era fácil decirme a mí misma que olvidara el asunto, pero era muy difícil hacerlo.

A la hora del desayuno no pude evitar observar a Hailey. Tenía las mejillas sonrosadas y le brillaban los ojos y el pelo. Parecía emocionada, y eso me puso nerviosa.

—Marisol —por el tono de Jack me di cuenta de que no era la primera vez que me llamaba.

—¿Qué? —pregunté, dejando de mirar a Hailey.

—Pásame la leche, por favor —dijo—. Esto... ¿estás bien? Llevas como diez minutos mirando al infinito.

—Lo siento —dije, y le pasé la leche—. Estoy bien, solo un poco cansada.

Jack me miraba con curiosidad y yo le sonreí débilmente.

—Es un día precioso —dijo Hailey muy animada—. Uno de esos días en que te alegras de estar vivo.

Durante todo el día, cada vez que la veía, Hailey parecía estar en estado de alerta. Intenté no hacerle caso, pero no podía evitar observarla.

A la hora del almuerzo, estaba hablando con Ámbar y Lily cuando Hailey apareció, sonriendo.

—¿Vieron? —preguntó mientras ponía la bandeja sobre la mesa.

—¿Qué? —preguntó Ámbar—. Hoy solo he visto el menú de la cafetería.

—¡Miren! —dijo Hailey señalando al otro extremo del salón.

Pensábamos que Bonnie vendría más tarde porque tenía deporte justo antes del almuerzo y tenía que cambiarse de ropa, pero allí estaba, sentada con otra persona: Anderson. Los dos conversaban muy concentrados, sonriendo y riendo mientras se miraban a los ojos.

—¡Madre mía! —dijo Ámbar—. ¿Creen que son... novios?

—Ella dijo que él le parecía guapo —recordé en voz alta y me fijé en la sonrisa de Bonnie. No podía imaginarme en su lugar (Anderson era demasiado escandaloso para mi gusto), pero ella parecía feliz.

—Esa es Bonnie —dijo Hailey—. Cuando quiere algo, lo consigue. Y eso es lo que hay que hacer. No puedes esperar a que las cosas te caigan del cielo.

—¿Tienes en mente algo en particular, Hailey? —preguntó Lily.

—Ya sabes, hablo de la vida en general —dijo Hailey.

—Ya, entiendo —dijo Lily.

Yo no estaba segura de entender nada. ¿Actuaba Hailey de esta manera por la luna llena?

Bonnie vio que los mirábamos y nos hizo señas con la mano y muecas para que dejáramos de mirar. Hailey tamborileó los dedos sobre la mesa. Parecía impaciente.

—Oigan —dijo de repente, dirigiéndose a Lily y a mí—, ¿por qué no salen esta noche con los telescopios? ¿No hay luna llena?

—Eh, no —dijo Lily. Una pequeña arruga apareció en su frente—. Recuerda que nos quedamos en casa cuando hay luna llena, por los lobos.

—Tú sabes que los lobos no son tan peligrosos, no atacan sin motivo —dijo Hailey.

—Los lobos *son* peligrosos, Hailey —contrarrestó Lily—. No muerden a las personas para divertirse, pero no es buena idea acercarse a ellos. Son territoriales y salvajes. No son amistosos —dijo mientras se rascaba la marca de nacimiento con forma de luna creciente que tenía en el brazo.

Hailey puso cara de impaciencia de nuevo. La arruga en la frente de Lily se volvió más profunda. Abrió la boca para decir algo, pero dudó y la volvió a cerrar.

"Claro —pensé—. Quizás Hailey ya sabe todo sobre los lobos".

Después de la escuela, en la reunión del club de astronomía, Anderson se sentó junto a mí.

—Oye —susurró—, oye, Marisol.

—Psss —dije, intentando escuchar la presentación.

Anderson resopló y comenzó a buscar algo en su mochila. Un momento después, puso una nota sobre mi mesa.

¡Esta noche hay luna llena! Me enteré dónde vive Bonley y esta noche Bonnie y yo vamos a esperarlo afuera de su casa. No se quedará allá si es un hombre lobo, y si no está, nos dará una pista. ¿Quieres venir? Trae algo de plata, por si acaso.

Casi había olvidado la sospecha de Anderson de que el profesor de educación física era un hombre lobo. En realidad no lo creía, pero ¿qué sabía yo? Mientras él y Bonnie dejaran en paz a Hailey, las teorías de Anderson no me importaban. De todas formas me parecía que Bonnie no querría que yo fuera.

—No puedo, pero gracias por invitarme —susurré—. Ya me contarán qué pasó. Tengan cuidado.

—Listo —dijo Anderson—. Eso haremos.

Después del club de astronomía, Lily y yo nos sentamos juntas en el autobús de regreso a casa. Ella parecía irritada y miraba al sol, que ya casi se ponía.

—Vi que te pasabas notas con Anderson —dijo de repente—. ¿Dijo algo de Bonnie?

—En realidad, no —dije—. Irán a la casa del Sr. Bonley para comprobar si es un hombre lobo.

—¿Cree que el Sr. Bonley es un hombre lobo? —dijo Lily con dureza—. Está completamente loco.

Era una reacción tan distinta a la de otras veces cuando no parecía importarle las obsesiones de Anderson, que debí poner cara de sorpresa porque me miró entrecerrando los ojos.

—¿No le crees, verdad?

—No... —dije.

—Pero pareces dudar. No puedes creer de verdad que el Sr. Bonley es un hombre lobo. Es solo que Anderson odia hacer educación física.

—Bueno... —dije. Luego me acerqué un poco a ella, mirando a mi alrededor para asegurarme de que nadie nos escuchaba. No pensaba decir mucho, pero necesitaba hablar con alguien, y Lily nunca le haría daño a Hailey—. No me refiero al Sr. Bonley. Pero hay alguien que me preocupa. Noté algunas cosas raras y sé que parece una locura, pero no puedo evitar pensar que ella —respiré profundamente—, podría ser una mujer lobo.

—¿Se lo has contado a alguien? —dijo Lily secamente.

—No, y tú tampoco puedes hacerlo. Debes prometerme que jamás contarás esto, ni siquiera a esa persona —dije—. Especialmente a ella.

—¿De quién hablas?

Lily me miraba con los ojos muy abiertos.

—De Hailey. Creo que Hailey podría ser una mujer lobo.

—¿Estás loca? —preguntó Lily mientras negaba incrédula con la cabeza—. De veras, Marisol, Hailey es la niña más tímida de la escuela y solo ahora está empezando a salir de su caparazón. ¿Y tú crees que es una mujer lobo? Pensaba que eras su amiga.

—Y lo soy —objeté—, pero escucha...

Lily levantó la mano para detenerme. Nunca la había visto tan enojada.

—Basta —gruñó—. Marisol, los hombres lobo no existen.

Se dio la vuelta bruscamente, miró por la ventana y no me habló durante el resto del viaje.

Cuando el autobús llegó a mi parada, me dirigí a ella.

—Lo siento, Lily —dije en voz baja, pero ella no respondió.

Estupendo. Ahora Lily estaba enojada conmigo. Suspiré. Tenía que haberme guardado mis sospechas. Bajé del autobús y me dirigí a la casa. Jack había ido a casa de un amigo después del club de cocina y sentí mucho que no estuviera. Me habría venido bien un amigo para no pensar en Hailey.

CAPÍTULO DIECINUEVE

Durante la cena, Hailey estaba inquieta. Chocaba los dedos contra su vaso y su plato saltaba al ritmo de su tenedor. Jack levantó las cejas y susurró.

—Hailey, ¿qué te pasa?

Hailey se limitó a encogerse de hombros. Nuestros padres no parecían notar nada.

—¡Un brindis! —anunció Mike alegremente—. ¡Brindemos por el mes que llevamos viviendo juntos! En nombre de Molly y los chicos, debo decir que no podíamos haberlo disfrutado más. Saben que son bienvenidas y pueden quedarse todo el tiempo que deseen.

—Un momento, un momento —dijo mi mamá—. Solo quiero decir que Marisol y yo estamos muy agradecidas porque nos abrieron su hogar y nos recibieron como familia.

Todos brindamos. Jack sonrió al brindar conmigo con su vaso de agua. Me pareció que estábamos viviendo una gran amistad, pero no pude evitar pensar que, afuera, el sol se ponía y llegaba la oscuridad. Quise huir de ese momento para comprobar si salía la luna.

Cuando terminó la cena, Hailey recogió la mesa y besó a sus padres.

—Voy a leer un rato —dijo con dulzura—. Seguramente me acostaré temprano, así que les doy las buenas noches ahora.

Miré el reloj. Eran las siete y media.

¿Es que a nadie le parecía raro que Hailey se fuera a dormir tan temprano?

Supongo que no porque sus padres y mi mamá se limitaron a decir buenas noches. Jack se despidió con la mano y se sentó en la sala para ver la televisión.

—Yo también subo —dije rápidamente—. Tengo tareas de la escuela y luego me acostaré.

Seguro que Hailey no era una mujer lobo, pero por si acaso...

Subí las escaleras corriendo detrás de ella.

Cuando llegué a la segunda planta, Hailey entraba en el baño, así que fui a mi habitación a leer. No podía concentrarme. Después de oírla regresar a su habitación, esperé media hora más, mirando el reloj. Luego fui a verla, solo para comprobar si había salido.

Llamé a su puerta.

—¿Sí? —dijo.

Abrí la puerta. Hailey estaba en la cama leyendo un libro.

—No es nada —dije—. Quiero decir... ¿no has visto por ahí mi suéter rojo?

Negó con la cabeza.

—Bueno —dije apurada—. Gracias.

Volví a mi habitación.

"¿Ves? —me dije a mí misma—. Está acostada leyendo, tal y como dijo que haría. No le salieron colmillos ni le está aullando a la luna. ¡Me tengo que olvidar de esto!"

Veinte minutos después, volví a salir al pasillo. Quizás me resultaría más fácil concentrarme en mis tareas si estaba en la misma habitación que Hailey. Ojalá a ella no le importara tener a una compañera de lectura. Llamé a su puerta, pero nadie respondió.

Abrí la puerta. La luz estaba encendida y el libro estaba sobre la almohada, pero Hailey había desaparecido.

CAPÍTULO VEINTE

Las cortinas blancas de la ventana se movían con la brisa. Sentí que me paralizaba. Había tenido la esperanza de encontrar a Hailey en su habitación. Me acerqué a la ventana y miré.

Las ramas de un gran árbol llegaban casi hasta la ventana y el techo inclinado servía de plataforma si se quería escalar por la rama hasta el árbol. ¿Era eso lo que había hecho Hailey? Miré hacia abajo y me estremecí. Desde la ventana y en la oscuridad ni siquiera alcanzaba a ver el suelo.

Ni hablar. No intentaría salir por ese camino. Salí de la habitación y caminé en puntillas por la escalera. Me detuve en el rellano y escuché. Oí el sonido de la televisión, así que Jack seguía allí, y luego oí la voz de Mike y supe que él también estaba con Jack. Mi mamá y Molly conversaban en la cocina.

Caminé por el pasillo, conteniendo el aliento mientras pasaba por la cocina. Rápidamente y en silencio abrí la puerta principal. Salí y la cerré suavemente.

Afuera empecé a temblar de frío. Tenía que haber agarrado mi chaqueta. Estaba oscuro y olía a humedad. El viento sopló con fuerza, empujando las hojas secas contra la casa. Brillaba la luna llena, iluminando los bosques que rodeaban la casa. Oí a los caballos relinchar inquietos en sus establos.

Esto era una locura. Aunque Hailey estuviera fuera de la casa, ¿cómo la encontraría? Después de bajar por la ventana, podía haber ido a cualquier parte. Empecé a darle la vuelta a la casa, alejándome de los establos y esquivando lechos de flores y arbustos.

Cuando llegué a la puerta de atrás, miré la ventana abierta de Hailey. Brillaba con luz dorada en la oscuridad. Me agaché para inspeccionar la tierra a los pies del árbol. Esperaba encontrar pisadas (o huellas de pezuñas), pero la tierra era dura y, si había algo sospechoso, no podría verlo. Debía haber traído la chaqueta y una linterna.

El bosque estaba muy oscuro. Si había algo allí, ¿cómo lo vería? Debí haberme quedado cerca de Hailey para seguirla cuando salió de casa.

Me preguntaba si debía darme por vencida y volver adentro, cuando vi una luz en el bosque. Parecía de una linterna.

Corrí hacia allá.

Sobre mi cabeza brillaba la luna llena y las ramitas crujían bajo mis pies. Tenía frío y miedo y de repente recordé mis sueños. ¿Estaría a punto de encontrarme con un hombre lobo? ¿Qué haría? Me estaba acercando al haz de luz y empecé a caminar más despacio. ¿Estaba en peligro? ¿Pero qué hacía un hombre lobo con una linterna?

Seguí caminando, con las ramas enredándose en mi ropa. De repente, la luz me cegó.

—¿Marisol? —era la voz de Hailey, sorprendida y definitivamente humana. Bajó la luz para no darme en los ojos—. ¿Qué haces aquí?

—¿Qué hago yo aquí? —dije—. La pregunta es ¿qué haces tú aquí? Yo vine a buscarte.

—¡Ay, no! —dijo Hailey—. ¿Se dieron cuenta mis papás de que salí? ¿Están todos buscándome? ¡Me regañarán!

—No —la tranquilicé—. Yo soy la única que sabe que estás aquí. A no ser que se hayan dado cuenta de que no estamos ninguna de las dos en este rato desde que salí de casa. Y entonces tendremos problemas.

Agarré su linterna y la iluminé. A Hailey le brillaban los ojos y parecía nerviosa, pero se veía completamente normal. Vi que ella sí había sido lista y llevaba una chaqueta y un gorro, así que estaba más abrigada que yo. Su cabello rubio estaba igual que siempre y no se había convertido en pelaje de animal. La luna llena brillaba en el cielo y estaba absolutamente claro que Hailey no era una mujer lobo.

Eso era un alivio.

De repente, me sentí completamente estúpida.

—Hailey —pregunté de nuevo—, ¿por qué estás aquí? ¿Siempre sales cuando hay luna llena?

—Sí —dijo Hailey y suspiró—. Me encantaría ver un lobo salvaje. Ya sabes que cuando hay luna llena se ven más, además de los montones de historias que dicen que tienen poderes especiales e incluso se convierten en hombres lobo en noches como esta. Pero no he tenido suerte. Durante la pasada luna llena me subí a un árbol y estuve allí casi toda la noche, esperando los lobos. Me quedé dormida y casi me caigo del árbol.

Justo entonces, el aullido de un lobo ahuyentó el silencio de la noche.

—¿Oíste? —preguntó Hailey dándome la mano y temblando de emoción.

—Hailey —yo también temblaba, pero de miedo—, tenemos que volver a la casa.

—¿Qué? —dijo—. ¡Sonó tan cerca!

—Exactamente —dije, y apagué la linterna. Quizás el lobo no podría encontrarnos en la oscuridad.

No, eso era ridículo. Además, ¿acaso los lobos no evitaban el contacto con los humanos? Volví a encender la linterna.

—Hailey, quizás los lobos no ataquen a las personas todo el tiempo, pero eso no significa que no se sientan amenazados si se encuentran con dos chicas en mitad de la noche.

—Supongo que tienes razón, pero yo... bueno, yo siempre quise ver un lobo —dijo casi llorando.

—Iremos al zoológico —dije—. No será lo mismo, pero será mucho más seguro. Y haremos una donación a la asociación protectora de lobos, pero vamos ya.

Presté atención por si se oía otro aullido. El anterior había sonado demasiado cerca, pero ¿de dónde había venido el sonido? ¿Sería seguro regresar por el mismo camino? Si no, quizás tendríamos tiempo de subirnos a un árbol, como Hailey el mes pasado. La agarré por el brazo y empezó a caminar lentamente detrás de mí.

De repente, nos quedamos paralizadas.

Un lobo bloqueaba el sendero que llevaba al prado.

—¡Ay! —susurró Hailey. Parecía medio entusiasmada y medio aterrorizada.

El lobo era delgado y gris, con manchas café en las orejas y las patas. Parecía muy joven. Sus orejas puntiagudas apuntaban hacia delante. Nos miró a Hailey y a mí y aulló. Tenía los ojos dorados fijos en nosotras, casi como si intentara decirnos algo. Lentamente empezó a acercarse.

Se oyó otro aullido en la distancia.

Sujeté el brazo de Hailey con fuerza y empecé a caminar hacia atrás, alejándome del lobo. La linterna temblaba en mi mano y el haz de luz recorrió el claro del bosque.

El lobo se detuvo y me miró fijamente, gruñendo bajito. Dejé de mover la linterna. El lobo jadeaba con la lengua colgando y, cuando la luz de la linterna se posó sobre él, noté en una de sus patas frontales la marca oscura y dorada de una luna creciente.

Esa luna...

Miré fijamente a los ojos del lobo. ¿Me resultaba familiar?

—¿Lily?

CAPÍTULO VEINTIUNO

—¿Lily? —repitió Hailey—. Marisol, no creerás... Lily no puede ser un lobo.

Estaba completamente segura. Había un lobo delante de mí, pero sabía que era mi amiga Lily. No era solo la marca en forma de luna creciente de su pata, igual que la marca de nacimiento de Lily, sino también la expresión de sus ojos que, ahora que me fijaba, me era tan familiar. La manera en que el lobo nos observaba me recordó la serenidad de mi amiga.

—Ahora entiendo que no quisiera que le hablara de hombres lobo —dije.

El lobo mostró sus dientes afilados como si estuviera de acuerdo. O quizás era un gruñido de advertencia.

Sentimos otro aullido, esta vez más cerca.

El lobo se abalanzó sobre mí y di un salto. Mordió suavemente el ruedo de mis pantalones, sin tocarme la piel, y empezó a jalarme hacia la casa.

—¡Hailey! —grité aterrada.

Lily jaló con más fuerza de mi pantalón. Otro lobo respondió el aullido del primero. Se estaban acercando.

—Es mejor que vayamos, Marisol —dijo Hailey con voz temblorosa—. Creo que debemos hacer lo que ella quiere.

Lily soltó mi pantalón y me empujó fuertemente con su cabeza. Luego empujó a Hailey con el lomo hacia la casa.

—¡Vamos! —dijo Hailey, y echamos a correr.

Miré rápidamente hacia el bosque. ¿Había ojos amarillos observándome en la oscuridad? Lily, la loba, estaba a mi lado y me empujó de nuevo. Luego, echó a correr. Con sus largas zancadas salió rápidamente del claro del bosque. Yo la seguí.

Las ramas me golpearon los brazos y la cara y se me cayó la linterna, pero no me detuve a recogerla. Tropecé y me tambaleé sobre las rocas y las ramas. Oía las pisadas de Hailey mientras corría. Se oyó un ruido sordo cuando se cayó al suelo y casi tropiezo con ella.

—¡Vamos! —le dije ayudándola a levantarse—. ¡Vamos!

A las dos nos faltaba el aire y corríamos con dificultad. Se escucharon más aullidos detrás de nosotras. ¿Nos seguían el rastro?

De repente, estábamos junto a la casa. Las luces de la primera planta seguían encendidas y busqué a tientas el pomo de la puerta, intentando abrirla rápidamente y en silencio.

—Marisol —dijo Hailey en voz baja detrás de mí.

Miraba más allá del pequeño halo de luz que proyectaban las ventanas de la casa. Seguí su mirada.

En las sombras, justo más allá de las sombras, había un lobo. ¿Lily? El animal gruñó suavemente y movió las orejas de forma impaciente, como diciendo "¿Qué esperan? Entren ya".

Hailey se acercó a él.

—Hailey —dije un poco nerviosa.

Estaba segura de que era Lily y que nos estaba ayudando, pero aun así no sabía cuánto de ella era Lily y cuánto era un lobo. No me parecía buena idea acercarme mucho si podíamos evitarlo.

Hailey se arrodilló al lado de Lily.

—¿Lily? —dijo Hailey con voz temblorosa y extendió la mano como se hace con un perro para que te dé la pata—. Gracias, Lily.

El lobo olisqueó su mano y estiró las patas. Entonces, muy rápidamente, inclinó la cabeza antes de darse la vuelta y desaparecer en el bosque.

—Increíble —dijo Hailey unos minutos después—. Todavía no puedo creerlo.

Habíamos conseguido entrar en la casa sin que nadie nos viera. Por un momento había pensado que nuestros padres estarían buscándonos o esperándonos junto a la puerta para castigarnos. Pero todo estaba en paz. Hailey y yo nos sentamos en su cama.

—Nunca lo habría adivinado —dijo Hailey, moviendo la cabeza con incredulidad—. Lily. ¿Quién lo diría? Quiero decir, Lily es la persona más normal que conozco.

Me quedé pensativa un largo rato antes de hablar.

—Escucha Hailey —dije finalmente—. No podemos contarle esto a nadie.

—Lo sé —dijo—. No podemos. Además, ¿quién nos creería?

—Bueno... Anderson, por ejemplo. Ahora mismo está frente a la casa de un profesor para comprobar si se convierte en un monstruo.

—Anderson —dijo Hailey, y se rió—. ¿Te conté alguna vez que cuando estábamos en cuarto grado me convenció de que yo tenía poderes mentales? Varios chicos estuvimos intentando concentrarnos para hacer fuego con el poder de nuestras mentes. Él creería cualquier cosa.

—Lo sé —dije, y me eché a reír.

—¿Puedes imaginarte cómo se sentirá Lily ahora mismo? Tenemos que hacer algo.

—¿Como qué? —dije—. ¿Podemos escribirle una tarjeta que diga "Qué bien que eres una mujer lobo. ¿Hacemos un juramento de silencio?"

—Probablemente desea que en realidad no lo sepamos.

Un largo aullido se oyó en la distancia. Me estremecí.

—¿Crees que sea ella? —pregunté.

—¿Sabes qué? Uno debe sentirse muy solo ocultando un secreto tan grande.

Asentí y me recosté en el respaldar de la cama de Hailey. Afuera, la luna llena brillaba en el cielo. Pensé en Lily: inteligente, capaz, amante de la ciencia... y el enorme secreto que guardaba. Sentí mucha lástima por ella. Yo tenía a Tasha y ahora a Hailey, pero ¿podría Lily tener una amiga íntima algún día? Tenía tantos secretos que ocultar. ¿Podríamos ayudarla Hailey y yo, ahora que sabíamos la verdad?

CAPÍTULO VEINTIDÓS

Al día siguiente, aunque parecía que el mundo había cambiado para siempre, teníamos que levantarnos para ir a la escuela. Hailey lucía tan dormida como yo durante el desayuno y apenas hablamos en el autobús.

—¿Pero qué pasa con ustedes? —preguntó Jack finalmente, desesperado, cuando entramos por la puerta principal de la escuela.

Había intentado hablar con nosotras sobre la escuela, el programa que vio en la televisión la noche anterior, el desayuno y una cantidad de temas más, pero Hailey y yo apenas dijimos una palabra.

—Lo siento —dije sonrojándome—. Creo que las dos estamos cansadas.

Jack nos miró sospechoso y se encogió de hombros.

—Bueno —dijo.

Jack no era entrometido, y añadí eso a mi lista de cosas que me gustaban de él.

Me pasé la mañana buscando a Lily. A cada rato pensaba que la veía, pero siempre la confundía con alguien con el pelo color miel o chicas altas caminando entre la multitud.

—¿Viste a Lily? —le pregunté a Bonnie cuando la encontré cerca de mi casillero.

—No —dijo sin dejar de juguetear con su pulsera—. ¿Por qué?

—Nada —dije—, solo la buscaba porque no la he visto hoy.

—Se lo diré si la veo —dijo Bonnie, y luego se le iluminó el rostro—. Marisol, ayer pasé una tarde increíble.

—¿Sí? —pregunté, interesada a pesar de todo lo que estaba pasando—. ¿Con Anderson?

—Solo fui con él porque es simpático cuando se emociona con algo, pero quizás tenga razón sobre el Sr. Bonley —dijo—. Su casa es oscura y tenebrosa. Salió muy temprano y no había vuelto cuando nosotros tuvimos que irnos. Caminamos alrededor de la casa y había unas huellas extrañas de pezuñas, como las de un perro grande, en el patio trasero. Pensamos que podrían ser de lobo.

Quise preguntarle si había comprobado si el Sr. Bonley tenía un perro, pero recordé los aullidos en el bosque de la noche anterior y cambié de opinión. Ahora sabía que Lily era una mujer lobo y era muy probable que no fuera la única. ¿Quién era yo para decir que el Sr. Bonley no era un hombre lobo? Me aterraba pensarlo porque Lily había sentido miedo por nosotras la noche anterior. Y cuando un lobo está asustado, seguramente hay algo que temer. Quizás los otros hombres lobo no fueran tan amables.

—Ten cuidado —le dije a Bonnie—. Si tienen razón, él podría ser peligroso, especialmente con un secreto así.

—Sí. Y aunque no sea un hombre lobo, es un profesor muy desagradable —dijo con seriedad—. No quiero que nos vea curioseando por su patio. ¡Seguramente me obligaría a hacer el doble de abdominales en la clase de educación física por el resto de mis días! No te preocupes. Puedo mantener a Anderson bajo control.

* * *

A medio día, estaba segura de que Lily me estaba evitando. Me preguntaba si la vería a la hora del almuerzo, pero cuando entré en la cafetería estaba en la mesa de siempre con Ámbar. Se incorporó en el asiento cuando nos vio aparecer a Hailey y a mí. Parecía valiente y recelosa, como un soldado en territorio enemigo.

—Hola —dijimos todas, y hubo una pequeña pausa.

—No sé si ya pensaron en la venta de pasteles del consejo estudiantil —dijo Ámbar arreglándose el cabello—, pero estamos recaudando dinero para el baile del invierno. El consejo estudiantil está pidiendo a todo el mundo que prepare algún pastel y, por supuesto, que compren. Jack hará *brownies*, pero Marisol, ¿tú sabes cocinar? ¿Y tú, Hailey? Mientras más participen, mejor.

—Ella sabe que yo en una ocasión por poco provoco un incendio preparando una tostada —dijo Lily con una sonrisa forzada—, pero prometo comprar al menos tres cosas.

—Lily, eso no es divertido, podías haber quemado tu casa —dijo Ámbar, y sacó su cuaderno y me miró—. ¿Hay alguna especialidad de Austin que sepas preparar?

El ambiente se fue relajando a medida que hablábamos de la venta de pasteles. Prometí hacer galletas con forma de cactus y también tuve que convencer a Ámbar de que la tostada tejana era simplemente pan de ajo y no un pastel tejano que a todo el mundo le gustaría probar.

Pero justo cuando la conversación era más interesante, Ámbar guardó su cuaderno y su pluma en la mochila.

—¿Adónde vas? —preguntó Lily con ansiedad.

—Tengo una reunión de hockey sobre césped —dijo Ámbar—. Veremos la grabación de nuestro último partido y vamos a discutir sobre la estrategia del juego. Hasta luego.

Cuando se fue, nos quedamos en silencio un rato. Luego Hailey se aclaró la garganta.

—Este... ¿qué tal anoche?

—Bien —dijo Lily con tensión.

—Ya —dijo Hailey—. Nosotras pasamos una velada muy tranquila. Yo me acosté temprano y dormí como una piedra. ¿Y tú, Marisol?

—Yo también —dije, pillando la intención de Hailey—. Creo que ni siquiera tuve sueños.

—Ah —dijo Lily mirando hacia abajo.

—Sin embargo, me pregunto —dijo Hailey—, ya sabes, Anderson lleva unos días hablando todo el tiempo de hombres lobo. Cree que el Sr. Bonley es un hombre lobo. ¿Tú que crees?

—No existen los hombres lobo —dijo Lily con determinación. Luego su rostro se suavizó un poco—. Sin embargo, si hubieran, seguro que no serían más que un par de familias. Quizás gente que lleva aquí mucho tiempo y que quiere que los dejen en paz.

—Ya —dije—, ¿así que no crees que alguien se pueda convertir en hombre lobo por una mordida o si bebe agua de la huella de un lobo?

Las dos me miraron un momento y se echaron a reír. Lily negó con la cabeza.

—Probablemente no —suspiró—. Pero supongo que eso es un secreto y que cualquier hombre lobo haría lo que fuera necesario para guardarlo. Si alguien se enterara, sería peligroso.

Hailey y yo asentimos.

—Claro —dijo Hailey—. Sabes, yo antes salía por la noche en busca de lobos, pero ya no quiero hacerlo más. Lily, sabes que mi familia vivió aquí toda la vida.

—La mía también —dijo Lily.

—Bueno, siempre sentí vergüenza por algunas de las cosas que hicieron mis antepasados. Los trataron... injustamente. Esas historias me hicieron creer que las personas eran peores que los animales —Hailey dudó—. Siempre quise compensar aquello de alguna manera.

Pensé en las personas del pueblo que expulsaron a sus vecinos. Molly dijo que su familia había estado involucrada en esa historia, pero no había dicho cómo. Yo lo había entendido todo al revés: ellos no eran los hombres lobo, sino las personas aterrorizadas que habían quemado las casas de sus vecinos y los habían expulsado del pueblo.

Lily y Hailey se miraron un buen rato.

—A veces es muy importante tener amigos que te apoyan —dijo Lily.

—Saben, hablando de otra cosa, quiero decirles que aunque no llevo mucho tiempo acá, creo que somos muy buenas amigas. Y si alguna de mis amigas tuviera un secreto, yo nunca, nunca, se lo contaría a nadie —dije.

—Yo tampoco —dijo Hailey—. Para eso están los amigos.

Lily levantó la vista y nos sonrió. Le brillaban los ojos y parecía a punto de echarse a llorar.

—Por otra parte —dijo Hailey sin darle mucha importancia—, si una amiga quisiera hablar de cualquier cosa, creo que es muy importante escuchar y no contárselo a nadie.

—Creo que eso es verdad —asentí.

—En general, es bueno conversar —dijo Lily bajito—. A veces es difícil hablar con la familia sobre algunas cosas. Tienen un punto de vista diferente al que tendría una amiga, ¿me entienden?

Entonces nos sonrió con ganas y Hailey y yo también sonreímos. Era como si tuviéramos un pequeño círculo de amistad y un gran secreto entre las tres. Pensé en cada una de ellas y en Bonnie y en Ámbar, también en Jack y los caballos, en las montañas y el amplio cielo de Montana sobre mi cabeza.

—Te extrañaré, Marisol —dijo Hailey—. Las cosas cambiaron mucho para mí desde que tú viniste.

—Sí —dijo Lily—. Siento que recién empezamos a ser amigas.

Me aclaré la garganta. Mi mamá y yo habíamos hablado de la posibilidad de extender nuestra visita

y yo dudaba constantemente: extrañaba mi hogar, pero también me encantaba el Valle del Lobo. Y me sentía muy cercana a Hailey y a Lily después de nuestra aventura la noche anterior.

—Saben, mi mamá se quedaría todo lo que queda del curso si yo quiero.

—¿De verdad? —dijo Lily.

—Mis papás quieren que ustedes se queden —dijo Hailey—. Y Jack y yo también.

—Además, es solo octubre —dije sonriendo—. Quiero saber qué pasa en este pueblo el resto del año.

Tendría que explicárselo a Tasha y tranquilizarla porque siempre iba a ser mi mejor amiga, aunque no nos viéramos hasta el verano. Ella me extrañaría... y yo a ella.

Pero recién empezaba a comprender la vida en el Valle del Lobo. Como una verdadera amante de la ciencia, estaba segura de que había mucho más que conocer en este pequeño pueblo. Mi mamá tenía razón: hasta ahora mi vida en Montana había sido una gran aventura, ¡y tenía la sensación de que aún no había terminado!